Nos cours prénataux
à la maison

Éditrice : Elizabeth Paré
Design graphique : François Daxhelet
Infographie : Johanne Lemay, Chantal Landry et Gabriel Germain
Révision : Brigitte Lépine
Correction : Sylvie Massariol et Sabine Cerboni
Toutes les illustrations : © Les Éditions de l'Homme
Toutes les photos sont de Shutterstock sauf :
Massimo Photographe : p. 11 (haut), p. 12
Tango : p. 80, p. 100, p. 116, p. 135, p. 146, p. 147, p.148
Istock : p. 62, p. 136
Mark Thomas : Science Photo Library : p. 75
Michel Paquet : p.11 (bas)
Santé et services sociaux Québec : p. 162

Catalogage avant publication de Bibliothèque et Archives nationales du Québec et Bibliothèque et Archives Canada

Roy, Isabelle

    Nos cours prénataux à la maison : se préparer à l'accouchement en 7 leçons

    Comprend des références bibliographiques et un index.

    ISBN 978-2-7619-3309-4

    1. Grossesse. 2. Accouchement. 3. Nourrissons
- Soins. I. Thibault, Sylvie, 1962-   . II. Titre.

RG525.R69 2014   618.2   C2014-940927-3

09-14

© 2014, Les Éditions de l'Homme,
division du Groupe Sogides inc.,
filiale de Québecor Média inc.
(Montréal, Québec)

Dépôt légal : 2014
Bibliothèque et Archives nationales du Québec

ISBN 978-2-7619-3309-4

DISTRIBUTEURS EXCLUSIFS :

Pour le Canada et les États-Unis :
MESSAGERIES ADP INC*
2315, rue de la Province
Longueuil, Québec J4G 1G4
Téléphone : 450-640-1237
Télécopieur : 450-674-6237
Internet : www.messageries-adp.com
* filiale du Groupe Sogides inc.,
  filiale de Québecor Média inc.

Pour la France et les autres pays :
INTERFORUM editis
Immeuble Paryseine, 3, allée de la Seine
94854 Ivry CEDEX
Téléphone : 33 (0) 1 49 59 11 56/91
Télécopieur : 33 (0) 1 49 59 11 33
Service commandes France Métropolitaine
Téléphone : 33 (0) 2 38 32 71 00
Télécopieur : 33 (0) 2 38 32 71 28
Internet : www.interforum.fr
Service commandes Export – DOM-TOM
Télécopieur : 33 (0) 2 38 32 78 86
Internet : www.interforum.fr
Courriel : cdes-export@interforum.fr

Pour la Suisse :
INTERFORUM editis SUISSE
Case postale 69 – CH 1701 Fribourg – Suisse
Téléphone : 41 (0) 26 460 80 60
Télécopieur : 41 (0) 26 460 80 68
Internet : www.interforumsuisse.ch
Courriel : office@interforumsuisse.ch
Distributeur : OLF S.A.
ZI. 3, Corminboeuf
Case postale 1061 – CH 1701 Fribourg – Suisse
Commandes :
Téléphone : 41 (0) 26 467 53 33
Télécopieur : 41 (0) 26 467 54 66
Internet : www.olf.ch
Courriel : information@olf.ch

Pour la Belgique et le Luxembourg :
INTERFORUM BENELUX S.A.
Fond Jean-Pâques, 6
B-1348 Louvain-La-Neuve
Téléphone : 32 (0) 10 42 03 20
Télécopieur : 32 (0) 10 41 20 24
Internet : www.interforum.be
Courriel : info@interforum.be

Gouvernement du Québec – Programme de crédit d'impôt pour l'édition de livres – Gestion SODEC – www.sodec.gouv.qc.ca

L'Éditeur bénéficie du soutien de la Société de développement des entreprises culturelles du Québec pour son programme d'édition.

Conseil des Arts   Canada Council
du Canada   for the Arts

Nous remercions le Conseil des Arts du Canada de l'aide accordée à notre programme de publication.

Nous reconnaissons l'aide financière du gouvernement du Canada par l'entremise du Fonds du livre du Canada pour nos activités d'édition.

Isabelle Roy
Sylvie Thibault

du Centre de maternité
Mère et monde

Préface de
Dr Julie Choquet

Nos cours prénataux à la maison

Se préparer à l'accouchement en **7 leçons**

LES ÉDITIONS DE L'HOMME

Une société de Québecor Média

Ce livre est dédié à nos parents, pour leur soutien et leur amour, Rollande et Richard Roy, Bérangère et Laurent Thibault ainsi qu'aux enfants de Sylvie Thibault, Michael et Émile, et son mari, Mathieu Bisaillon.

Il l'est aussi à toutes les futures mères :
— « Que cette vie que tu portes en toi te rende heureuse toute une vie »

Préface

Que vous soyez déjà parents ou pas, cette grossesse, ce futur accouchement et les jours qui les suivront, vous ne les vivrez qu'une fois! Puisque chaque grossesse est nouvelle et unique, plusieurs options s'offrent à vous pour vous informer. Selon vos préférences, vous choisirez peut-être de suivre des cours prénataux, notamment pour bénéficier d'une bonne préparation concernant la gestion de la douleur, ou de vous faire épauler par une accompagnante à la naissance. Les groupes de soutien en allaitement peuvent même vous attribuer une marraine d'allaitement. Évidemment, il est possible de conjuguer différentes approches. Prenez soin de privilégier les options qui correspondent le plus à vos besoins.

Pour amorcer votre réflexion, je vous encourage à lire *Nos cours prénataux à la maison*, un livre pratique et interactif sur la grossesse, l'accouchement et les premières semaines de vie avec votre enfant. Vous y trouverez plusieurs outils et renseignements à jour, afin que chacune de ces étapes se déroule le mieux possible.

Dans ma pratique à titre de médecin, je recommande que les parents s'informent sur les sujets abordés dans ce guide. Il est en effet intéressant que les auteures de *Nos cours prénataux à la maison* aient eu recours aux conseils de spécialistes en périnatalité, qu'elles aient adressé leurs propos tant aux futures mères qu'aux futurs pères, tout en incitant ces derniers à suivre des leçons pratiques dans le confort de leur domicile. Vous n'êtes donc pas simplement appelé à accomplir une lecture passive. Vous pourrez réfléchir à vos besoins, et effectuer des activités et des exercices ciblés qui enrichiront votre apprentissage.

Ce livre vous aidera également à faire le choix d'un praticien, qu'il soit obstétricien-gynécologue, omnipraticien ou sage-femme, et d'un milieu de naissance qui vous conviennent et avec lesquels vous vous sentirez en confiance. N'hésitez pas à poser des questions à votre praticien lors de vos visites prénatales et à visiter l'endroit où se déroulera votre accouchement. Et comme il pourrait être plus difficile d'exprimer vos désirs dans le feu de l'action, le présent ouvrage vous guidera dans la rédaction d'un plan de naissance. C'est un excellent moyen pour engager la discussion avec votre praticien sur les éléments qui vous tiennent à cœur durant l'accouchement. En lisant ce livre, vous pourrez mieux comprendre les interventions médicales qui pourraient être proposées lors de l'accouchement, comme la péridurale et la césarienne, et envisager différents scénarios d'accouchement, y compris une préparation non pharmacologique pour composer avec la douleur liée aux contractions.

Par ailleurs, cet ouvrage vous amènera à prendre conscience de l'importance de vous reposer avant la naissance de votre enfant. Cette mesure augmentera votre niveau d'énergie lors de l'accouchement et des jours suivants. Ne perdez pas de vue que certains bébés naissent à l'avance et d'autres, plusieurs jours après la date prévue d'accouchement (DPA).

Enfin, cette lecture vous incitera à privilégier, entre autres, le contact peau à peau avec votre bébé dans les premières heures suivant sa naissance. Elle vous permettra aussi de vous initier à l'allaitement, si telle est votre intention.

Je vous souhaite une grossesse épanouie et une excellente lecture! Vous verrez, les 40 semaines de gestation passeront plus rapidement que vous ne l'imaginez!

Dr Julie Choquet
Médecin de famille spécialisée en obstétrique

Introduction

Si vous amorcez la lecture de ce livre pratique sur les cours prénataux, vous prévoyez sûrement porter la vie bientôt ou attendez déjà un enfant. Peut-être chérissez-vous ce rêve depuis longtemps. Peut-être aussi est-ce un événement inattendu et appréhendez-vous cette expérience. Il se peut que vous ayez déjà connu la maternité et la paternité et que vous désiriez mieux vous préparer, en vue de cette nouvelle naissance. Peu importe votre état d'esprit actuel, les sept cours du présent ouvrage ont pour objectif de vous renseigner sur cette expérience de vie et de vous mettre en confiance. Vous y trouverez des notions de préparation à la grossesse, à l'accouchement et à la période postnatale.

L'auteure principale de ce guide, Isabelle Roy, est journaliste en périnatalité et animatrice de cours prénataux de groupe chez Mère et monde. Elle a conjugué son savoir-faire à celui de Sylvie Thibault, accompagnante à la naissance et présidente du centre de maternité Mère et monde. Au cours des dernières années, Isabelle et Sylvie ont réalisé que plusieurs futurs parents, pour diverses raisons, ne participaient pas à des cours prénataux, même si ce type de préparation leur aurait permis d'être plus détendus et d'avoir un rôle actif pendant l'accouchement. Elles ont pensé qu'un livre sur le sujet pourrait être une avenue intéressante pour eux.

Que vous soyez inscrits ou non à des cours prénataux, le contenu du présent ouvrage a donc été conçu pour vous aider à acquérir une solide préparation prénatale de base. Au fil des pages, vous trouverez sûrement des réponses à plusieurs de vos interrogations sur la maternité et la paternité. Vous bénéficierez des conseils de spécialistes dont le Dr Julie Choquet, Josée Lavigueur, Julie Bonapace et Mélanie Ladouceur (voir les pages 11 et 12). Tout au long des cours prénataux enseignés dans ce livre, vous serez aussi amenés à découvrir des anecdotes de grossesse et d'accouchement de parents suivis par Sylvie Thibault.

Vous remarquerez que ce guide québécois, qui contient des activités et des illustrations, se démarque des livres théoriques sur la grossesse et l'accouchement. Il vous permet de suivre concrètement vos cours prénataux de manière individuelle, au moment, à l'endroit et au rythme qui vous conviennent. Il est suggéré d'en faire une lecture active. Prenez des notes, apposez des papillons (« Post-it ») sur les notions que vous jugez importantes, faites les activités proposées (que vous trouverez aussi sur le site de Mère et monde : mereetmonde.com) et entamez le dialogue avec votre partenaire, votre médecin et une accompagnante à la naissance (s'il y a lieu) au sujet de la grossesse, de l'accouchement et de la période postnatale.

Au besoin, revenez plus tard sur certaines notions importantes apprises au cours de votre lecture. Glissez même cet ouvrage dans la valise que vous apporterez à l'hôpital lors de l'accouchement !

Il est conseillé de lire les chapitres dans l'ordre et de bien maîtriser le contenu d'une leçon avant de passer à la suivante. Pour faciliter la compréhension du contenu abordé et s'assurer que l'information est fraîche dans votre mémoire, en vue de l'accouchement et de la période postnatale, il est préférable de lire les cours 1 et 2 durant les premier et deuxième trimestres de grossesse, les cours 3, 4 et 5 durant les deuxième et troisième trimestres de grossesse et les cours 6 et 7 durant le dernier trimestre de grossesse, avant 36 semaines (voir l'annexe pour connaître les trois trimestres de la grossesse). Ainsi, dans l'éventualité où la naissance de votre bébé aurait lieu plus tôt que prévu, vous seriez préparés à temps. À l'inverse, il n'est pas recommandé de lire le cours 5 sur l'accouchement si la mère n'est enceinte que de 10 semaines. Elle ne serait probablement pas prête à aborder les sujets qui y sont traités.

Bien que ce livre contienne l'essentiel de l'information donnée lors de cours prénataux chez Mère et monde, il ne vous permet pas d'échanger avec une intervenante d'expérience, dans le confort de votre domicile ou avec d'autres parents. Si vous désirez approfondir vos connaissances, poser des questions, pratiquer certaines des activités suggérées comme des massages pour l'accouchement, voir des vidéos et rencontrer d'autres couples de parents, des cours prénataux seront un ajout précieux à la présente lecture. Vous pouvez les suivre dès le début du deuxième trimestre de grossesse dans les CSSS (anciennement CLSC) – en groupe – ou dans les centres de maternité privés comme Mère et monde – en petit groupe semi-privé ou dans le cadre de séances privées au sein de votre foyer. Ce type de préparation à l'accouchement vous permet de personnaliser davantage l'information, en fonction de vos questions et besoins. Une étude a démontré que les femmes ayant suivi des cours prénataux avaient moins recours à des médicaments pour atténuer la douleur au cours du travail, soit qu'elles aient éprouvé moins de douleur, soit qu'elles aient été mieux préparées à y faire face[1].

Ce livre ne s'adresse pas seulement aux femmes. Par son entremise, les futurs pères pourront découvrir comment avoir un rôle actif au cours de la grossesse de leur partenaire, de l'accouchement et une fois leur enfant né. Certains choisiront de le parcourir au complet, alors que d'autres privilégieront les capsules des spécialistes, les encadrés ou les activités proposées dans les sept cours. Vous pouvez sélectionner le contenu qui vous interpelle le plus. La préparation de la naissance de votre enfant n'aura donc jamais été aussi simple !

Note très importante : Ce guide pratique d'information au sujet de la grossesse et de l'accouchement ne peut pas remplacer un suivi médical auprès d'un médecin ou d'une sage-femme, et l'information qui y est fournie ne peut être considérée, en aucun cas, comme un diagnostic médical. Par ailleurs, ce livre s'adresse aux couples hétérosexuels ou homosexuels, ainsi qu'aux mères monoparentales. Il peut s'avérer utile tant pour les parents qui sont suivis par un médecin que pour ceux qui sont suivis par une sage-femme. Les termes « mère », « père » et « médecin » sont donc utilisés de manière générale, sans vouloir exclure aucun groupe de personnes dans la société.

LES SPÉCIALISTES QUI ONT CONTRIBUÉ À CET OUVRAGE

Avis du médecin

Dʳ Julie Choquet

Le Dʳ Julie Choquet a fait ses études en médecine à l'Université McGill et sa résidence en médecine familiale à Gatineau. Elle s'y est découvert un intérêt pour la périnatalité. Elle pratique depuis une vingtaine d'années l'obstétrique au CSSS Dorval-Lachine-LaSalle. Les accouchements ne cessent jamais de l'impressionner et elle tente d'aider les parents à se renseigner et à s'outiller le plus possible pour ce grand jour. Elle les encourage entre autres à apprendre des techniques non pharmacologiques de gestion de la douleur, à adopter des positions verticales, qui mettent à profit la force de gravité, et à se faire accompagner de personnes qui sauront bien les entourer. Depuis 2003, le Dʳ Choquet est aussi consultante diplômée en lactation, et offre, à une clinique d'allaitement, avec ses consœurs, de l'aide aux mères qui n'ont pas pu régler leurs difficultés de lactation avec leur CSSS.

Mise en forme

Josée Lavigueur

Josée Lavigueur est une éducatrice physique certifiée en conditionnement physique et spécialisée en danse aérobique. Médaillée d'or aux Championnats canadiens d'aérobie sportive, elle est animatrice de télévision, auteure d'ouvrages et de DVD d'exercices, dont certains destinés à la femme enceinte. Elle est notamment coauteure du livre à succès *Kilo Cardio*, publié aux Éditions de l'Homme. À titre de conférencière, elle démystifie l'entraînement et motive son public à avoir une vie plus active, et à découvrir le plaisir de bouger.

Conseil pour les couples

Julie Bonapace et Malika Morisset Bonapace

Julie Bonapace est l'instigatrice de la méthode Bonapace et l'auteure du livre *Accoucher, sans stress avec la méthode Bonapace*, publié aux Éditions de l'Homme. Son programme, validé scientifiquement, a pour but d'aider les femmes et leur partenaire à atténuer la douleur de l'accouchement. Julie Bonapace anime des ateliers et des formations à plusieurs endroits dans le monde pour les professionnels de la santé afin de soutenir les couples lors de la naissance de leur enfant. Titulaire d'une maîtrise en éducation, elle est également diplômée en sciences et en travail social. Son expérience, à titre de médiatrice familiale, l'a convaincue de l'importance d'inclure et de valoriser les pères pendant la grossesse et l'accouchement. Dans le cadre de la rédaction de capsules pour le présent ouvrage, elle a allié son savoir-faire à celui de sa fille, Malika Morisset Bonapace, doctorante en psychologie, qui rédige une thèse de recherche portant sur la satisfaction et l'adaptation du couple en période périnatale.

Info nutrition

Mélanie Ladouceur

Mélanie Ladouceur est nutritionniste et membre de l'Ordre professionnel des diététistes du Québec (OPDQ). Elle a fondé le Centre NutriSoins, qui offre des conseils nutritionnels, notamment durant la grossesse. Elle propose aussi du soutien aux mères qui allaitent ainsi qu'aux bébés. Dans le cadre de consultations individuelles et d'ateliers de groupe, elle les accompagne afin d'optimiser leur alimentation et celle de leur bébé. Elle leur démontre que manger « santé » rime avec « plaisir, saveur et simplicité » et non avec « privation et culpabilité ».

Cours 1

L'a b c de la grossesse –
Neuf mois de changements... pour devenir parents

Au cours du premier trimestre (13 premières semaines de grossesse), vous vous retrouvez au sein d'une aventure riche en émotions, et ce, même si le ventre de la mère ne s'est pas encore arrondi. Vous oscillez sûrement entre la joie immense d'annoncer l'heureuse nouvelle à vos proches et le stress découlant des tâches que vous devez effectuer en vue de la grossesse. Entre les nausées et les sautes d'humeur potentielles de la mère, il vous faut bien souvent réviser votre alimentation et vos habitudes de vie, tout en cherchant un médecin, voire une nouvelle maison. Que de changements et de projets emballants !

Au cours des neuf mois à venir, vous entamerez un nouveau chapitre de votre vie qui transformera votre existence. Amorcez cette aventure extraordinaire en ayant pour philosophie de vivre une journée à la fois, avec ses hauts et ses bas. Acceptez que tout ne roule pas nécessairement sur des roulettes du premier coup (ex.: il vous faudra peut-être un certain temps avant de trouver un médecin pour le suivi de grossesse) et gardez à l'esprit qu'en général, les choses finissent par se placer au moment opportun. Même si grossesse peut rimer avec imprévus, comme un suivi médical plus strict à cause de petites complications en cours de route (ex.: diabète de grossesse avec prise d'insuline [voir la page 79]), tentez de vous arrêter, d'établir vos limites et d'apprendre à penser à vous. D'ailleurs, la grossesse devrait être un excellent prétexte pour s'accorder un peu de répit. Au fil des semaines, la mère apprendra à vivre avec son bébé, qui grandira dans son ventre. Assistée de son conjoint ou de ses parents et amis, elle disposera de quelques mois pour s'adapter à sa nouvelle vie et pour se préparer à la naissance de son enfant. Tous les événements se mettront en place pour l'amener à vivre une grossesse lui convenant. Futurs parents, suivez-nous et amorcez votre premier cours !

LES CHANGEMENTS CHEZ LE BÉBÉ ET LA MÈRE

La grossesse engendre des changements plus importants que vous ne l'aviez probablement imaginé. Au cours des premières semaines de vie, le bébé et le placenta se développent à un rythme phénoménal. Dès la 10e semaine de grossesse, votre enfant ressemble déjà à un être humain miniature. Les traits de son visage se précisent de plus en plus. Le placenta est fixé à la paroi utérine et relié au bébé par le cordon ombilical. Il fait office de membrane filtrante entre le bébé et sa mère. Il puise l'oxygène et les substances nutritives du sang de la mère et rejette les déchets du bébé afin que l'organisme de la mère les élimine (voir en annexe les étapes de la croissance de votre bébé, au fil des trois trimestres de la grossesse).

LA GROSSESSE, UNE RÉVOLUTION HORMONALE[1]

Hormones	Fonctions
La progestérone	Cette hormone, sécrétée par le corps jaune (glande située dans la zone ovarienne abritant l'ovule) et plus tard par le placenta, a pour rôle de préparer la muqueuse utérine à la nidation de l'œuf. S'il n'y a pas de fécondation, le corps jaune cesse de sécréter la progestérone et, sous l'action des œstrogènes, les règles arrivent. S'il y a eu fécondation, le corps jaune sécrète de plus en plus de progestérone, qui assure la gestation et prévient les risques d'accouchement prématuré. Le taux de progestérone est multiplié par 1000 environ au cours de la grossesse.
Les œstrogènes	Les œstrogènes sont sécrétés par l'ovaire pendant la première moitié du cycle menstruel. Ils font mûrir le follicule de De Graaf (petit sac contenant un ovule mature), afin qu'il libère un ovule qui pourra être fécondé. Habituellement, ils ont pour fonction d'induire la contraction de l'utérus et de provoquer les règles. Toutefois, pendant la grossesse (jusqu'au moment de l'accouchement), la progestérone neutralisera cette fonction. Les œstrogènes, qui sont sécrétés par le placenta pendant la grossesse, modifient aussi les tissus cutanés, qui pourront ainsi s'assouplir et s'étirer lors de la grossesse et de l'accouchement. Le taux d'œstrogènes est multiplié par 1000 environ au cours de la grossesse.
L'HCG	Dès la fécondation, l'œuf produit l'hormone gonadotrophine chorionique (HCG), sans laquelle il ne pourrait pas se maintenir dans l'utérus. L'HCG agit sur le corps jaune afin qu'il continue à fabriquer la progestérone, qui permet à l'œuf de s'implanter et de se développer dans la muqueuse utérine, en bloquant le cycle de l'ovaire et en empêchant le déclenchement des règles. Sa présence dans les urines, décelable vers le 9e jour, permet de confirmer la gestation, lors des tests de grossesse.
L'ocytocine	L'ocytocine, synthétisée par l'hypothalamus (glande située à la base du cerveau), est sécrétée lors de l'acte sexuel ou d'une stimulation des mamelons de la mère. Pendant l'accouchement, elle provoque les contractions de l'utérus, en vue de la naissance du bébé. Elle déclenche également les contractions des muscles entourant les alvéoles du sein, ce qui permet l'éjection du lait lors de l'allaitement.
La prolactine	Pendant la grossesse, le taux de prolactine augmente continuellement. La prolactine, avec d'autres hormones, permet la croissance du tissu mammaire durant la grossesse. Une fois que le placenta est expulsé, après la naissance du bébé, et que les taux d'œstrogènes et de progestérone diminuent énormément, l'effet de la prolactine se manifeste au niveau des alvéoles des glandes mammaires. Elle est responsable de la synthèse du lait et favorise les comportements de maternage.

Si le bébé se développe très rapidement, la future mère connaît aussi d'importants changements physiologiques, qui ne sont pas toujours apparents. Pendant la grossesse, son pouls augmente d'environ 10 battements par minute et son volume sanguin augmente en moyenne de 40 à 45 %, pour combler les besoins du fœtus. Ses seins grossissent et sont plus sensibles. Vous ne vous en rendez peut-être pas compte, mais dès les premières semaines de gestation, le corps de la mère se transforme et s'adapte aux besoins de votre futur bébé, en sécrétant des hormones (voir le tableau ci-contre). Sur le plan psychologique, la mère peut ressentir de l'excitation à l'idée de donner la vie, tout en ayant certaines appréhensions, comme celles de perdre sa liberté, de ne pas être une mère exemplaire ou de vivre une fausse couche. Ses sautes d'humeur possibles, causées aussi par les changements hormonaux, peuvent déconcerter son partenaire et les personnes de son entourage. La mère peut se sentir déjà si différente d'avant ! Il est également probable qu'elle soit fatiguée, qu'elle ait des nausées, un besoin plus fréquent d'uriner, des dégoûts alimentaires et des troubles de la digestion (voir la page 36).

Pour certaines femmes, la grossesse n'est pas aussi rose qu'elles l'avaient imaginée. Pour d'autres, au contraire, elle est synonyme de parfait bonheur ! Ces transformations, joies et peurs sont courantes. Gardez en tête que vous amorcez actuellement un « marathon » qui se conclura par le miracle de la vie, avec ses inconvénients, mais aussi ses immenses moments de bonheur.

DÉMÊLER SES PEURS ET SE RASSURER MUTUELLEMENT

Vous avez mille et une questions depuis l'annonce de la grossesse ? Dites-vous que c'est dans l'ordre des choses. Reconnaître les émotions que vous vivez, en tant que futurs parents, cerner vos peurs, les exprimer et comprendre le stress vécu par l'autre partenaire vous permettront de vivre une grossesse plus épanouie. Vous trouverez à la page 39 une activité qui vous aidera à entamer la communication dans votre couple en ce sens. Voici pour l'instant des réponses aux huit inquiétudes les plus fréquentes.

1. Quelles sont les causes d'une fausse couche ? Comment la prévenir ?

Selon la Société des obstétriciens et gynécologues du Canada (SOGC), près de 15 % des femmes vivent une fausse couche ou une interruption involontaire de grossesse (aussi appelée avortement spontané)[2]. Les médecins ne sont pas en mesure d'en expliquer les raisons exactes. Il semblerait que, dans environ la moitié des cas, le corps évacuerait un fœtus présentant des malformations chromosomiques empêchant un développement normal. De plus, la femme est plus à risque de vivre une fausse couche quand elle-même ou son conjoint sont plus âgés, qu'elle vit un stress élevé, qu'elle boit plus de 300 mg par jour de caféine ou qu'elle consomme de l'alcool ou des drogues[3] (voir la page 34). La plupart du temps, ces interruptions involontaires de grossesse surviennent pendant les premières semaines qui suivent l'arrêt des règles.

Les signes les plus évidents sont des douleurs similaires à celles des règles et des saignements (faibles ou importants), parfois accompagnés de crampes abdominales et de petits caillots sanguins, d'étourdissements et de fatigue. Dans une telle situation, pour savoir si vous devez vous rendre à l'hôpital, il est recommandé d'appeler Info-Santé, en composant le 811. Sachez qu'une fausse couche ne diminue pas la possibilité d'une grossesse saine ultérieure. Il est habituellement souhaitable d'avoir au moins un ou deux cycles menstruels avant de tenter de tomber enceinte de nouveau. Après trois fausses couches consécutives ou une interruption involontaire de grossesse tardive (après 12 semaines de gestation), le médecin tente généralement d'examiner la source du problème. Parmi les examens pratiqués, on retrouve, entre autres, la vérification d'anomalies génétiques, comme le facteur V Leiden, d'un déséquilibre de la glande thyroïde et le dépistage d'un éventuel fibrome. N'hésitez pas à parler de ce sujet à votre médecin.

2. Quels sont les risques qu'un bébé soit atteint de trisomie 21 ?

Même si l'incidence de cette maladie génétique (aussi appelée syndrome de Down) varie en fonction de l'âge de la mère, la plupart des bébés naissent en bonne santé. Les risques d'incidence sont de 1 sur 1 528 à l'âge de 20 ans, de 1 sur 909 à l'âge de 30 ans, de 1 sur 384 à l'âge de 35 ans et de 1 sur 112 à l'âge de 40 ans[4]. Si vous désirez connaître les probabilités que votre bébé soit atteint de trisomie 21, la mère peut passer des tests de dépistage. Mais si vous voulez avoir la certitude que votre enfant n'est pas atteint de cette maladie, la mère devra se sou-

mettre à une amniocentèse, qu'elle ait passé ou non des tests de dépistage au préalable (voir les conseils du Dr Julie Choquet ci-dessous). En fonction des résultats, vous pourrez décider de poursuivre ou non la grossesse. Renseignez-vous auprès de votre médecin à ce sujet.

3. Est-ce normal de ne pas sentir bouger son bébé à 18 semaines de grossesse ?

La plupart des femmes enceintes d'un premier bébé commencent à percevoir les mouvements de leur enfant vers la 20e semaine de grossesse, alors que celles qui ont déjà accouché les perçoivent plus tôt, vers la 15e semaine

Avis du médecin

Le point sur les tests pour déceler la trisomie 21

Des tests prénataux de dépistage universel d'anomalies chromosomiques, comme la trisomie 21 (syndrome de Down), sont offerts à toutes les femmes enceintes et sont couverts par la Régie de l'assurance maladie du Québec (RAMQ). À partir de prises de sang effectuées pendant les premier et deuxième trimestres, ils dépistent les probabilités de la trisomie 21 avec une fiabilité d'environ 80 %. Les résultats ne sont généralement connus qu'entre la 16e et la 21e semaine de grossesse lorsque les tests sont effectués dans les hôpitaux publics.

Les parents qui désirent obtenir des résultats fiables à 93 % et plus rapides peuvent avoir recours à des tests effectués en cliniques privées, comme le Prénatest[MD], moyennant des frais. Pratiqués entre la 11e et la 14e semaine de grossesse, ils combinent le prélèvement de quelques gouttes de sang du doigt de la mère et l'échographie de la clarté nucale (l'espace entre la peau du cou et la colonne vertébrale du fœtus). Tous les bébés ont du liquide à cet endroit, mais ceux

qui sont atteints du syndrome de Down en ont une quantité plus importante. Cependant, seule l'amniocentèse effectuée vers la 15e semaine de grossesse s'avère être un test diagnostique. Les tests prénataux de dépistage ne servent qu'à mesurer le risque et non la présence de maladie. Si les parents désirent être assurés à 100 % que leur enfant n'est pas atteint de trisomie 21, ils devront avoir recours à l'amniocentèse.

Couverte par la RAMQ, celle-ci consiste à prélever du liquide amniotique dans l'utérus de la femme enceinte, à l'aide d'une fine aiguille introduite dans son abdomen. Elle comporte un risque de perte fœtale d'environ 0,5 %. Dans les hôpitaux publics, les résultats sont connus dans un délai de deux à trois semaines. Dans les cliniques privées, les résultats de la procédure, qui est légèrement différente, sont connus dans un délai de 48 heures ; toutefois, la procédure n'est pas gratuite et donne des résultats légèrement moins précis.

J. C.

de grossesse. À la 23e semaine, un bébé peut faire de 20 à 60 mouvements par demi-heure[5]. Si la mère ne sent pas son bébé bouger, il est recommandé d'en parler à son médecin.

4. Comment prévenir les vergetures durant la grossesse ?

Les vergetures résultent de la rupture des fibres élastiques de l'épiderme sous l'effet d'un étirement important de la peau et d'une modification hormonale. Pendant la grossesse, elles apparaissent principalement sur le ventre, les seins, les hanches, les cuisses et les fesses. Elles sont parfois inévitables. Certaines personnes y sont davantage prédisposées génétiquement. L'efficacité des crèmes cosmétiques « anti-vergetures » n'a jamais été prouvée. La mère peut tout de même prévenir leur apparition en massant et en nourrissant constamment sa peau à l'aide d'une crème ou d'une huile hydratante (ex.: à base de vitamine E). Hydratée, la peau s'assouplit et risque moins de fendre[6]. Manger sainement, boire beaucoup d'eau et faire de l'exercice peuvent aussi aider à les prévenir.

5. Est-ce que la mère peut travailler jusqu'à la fin de sa grossesse ?

La plupart des femmes peuvent travailler jusqu'à la fin de leur grossesse, à moins d'avoir des signes de travail prématuré (voir la page 78). Pour prévenir des malaises de grossesse et une fausse couche, il n'est toutefois pas souhaitable que la mère travaille de manière excessive. Il est aussi suggéré qu'elle prenne de quatre à six semaines de congé avant son accouchement. Elle mettra ainsi toutes les chances de son côté pour être en forme lors de l'accouchement et de la période postnatale. Sachez également qu'elle peut accoucher avant sa date prévue d'accouchement, tout comme 10 à 14 jours après. Si la mère estime que son travail comporte un danger pour sa santé ou pour celle de son enfant à naître, il est conseillé d'en discuter avec son médecin. Au besoin, elle doit remplir le *Certificat visant le retrait préventif et l'affectation de la travailleuse enceinte ou qui allaite*[7].

6. Est-ce normal d'avoir peur de perdre sa liberté ?

La naissance d'un enfant entraîne des bouleversements dans votre vie, certes, mais elle est aussi source de joie. Il arrive que certains parents, qui se montraient réticents à l'idée d'avoir un enfant, soient étonnés, une fois que ce dernier est né, d'en vouloir un second quelques années plus tard. Prévoyez des mesures pour vous épanouir dans cette expérience. Par exemple, une fois que votre bébé sera né et que la routine sera bien installée avec lui, envisagez de permettre à votre partenaire, ainsi qu'à vous-même, des instants de liberté individuelle. Vous pourrez en profiter pour vous adonner à une activité de votre choix. Vous pourrez aussi demander aux gens de votre entourage de garder votre bébé à l'occasion, afin d'avoir des sorties de couple et de retrouver une intimité amoureuse. Vous pourrez ainsi établir un équilibre concernant le temps passé en famille, en couple et seul. Entamez la communication en ce sens avec votre partenaire. Pour l'instant, profitez de la grossesse pour vivre quelques escapades en amoureux et faire la grasse matinée ! Si vous attendez votre deuxième, voire troisième ou quatrième enfant, il n'est jamais trop tard pour mettre les conseils ci-dessus en application.

7. Est-ce normal pour l'homme de se sentir loin de la grossesse de sa femme ?

Au premier trimestre de la grossesse, cette réalité peut s'avérer abstraite aux yeux du père. Il ne ressent pas les changements physiologiques vécus par sa partenaire et il peut avoir de la difficulté à la comprendre. Il ne faut surtout pas s'en inquiéter et se culpabiliser. La lecture de ce livre lui permettra de mieux saisir les importants changements engendrés par la grossesse. Lorsque sa partenaire passera l'échographie du premier trimestre, l'expérience deviendra peut-être plus concrète à ses yeux. Notez que certains pères, notamment pour des raisons culturelles, sentent le besoin de se tenir un peu à l'écart de leur conjointe pendant la grossesse ou l'accouchement. Il est recommandé d'entamer la discussion à ce propos dans votre couple.

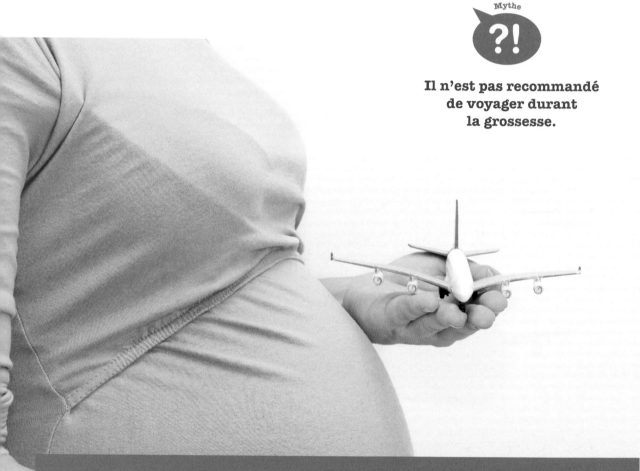

?!

**Il n'est pas recommandé
de voyager durant
la grossesse.**

La grossesse n'est pas une contre-indication au voyage, à condition que la mère ne présente aucun facteur de risque sur le plan médical (ex.: accouchement prématuré). La période idéale pour voyager se situe entre la 16e et la 28e semaine de grossesse. Après le quatrième mois, le risque d'avortement spontané est faible et la mère est généralement en forme. Sachez aussi que la majorité des compagnies aériennes demandent un certificat médical si l'accouchement est proche et peuvent refuser d'embarquer une femme pendant les dernières semaines de sa grossesse. Avant d'acheter vos billets d'avion, assurez-vous également que votre destination de voyage n'est pas située dans une zone à risque de malaria, une maladie infectieuse qui peut avoir des conséquences graves sur la grossesse. Dans l'avion, il est recommandé que la mère boive beaucoup d'eau, qu'elle mette des bas de contention et qu'elle marche régulièrement. Par ailleurs, évitez les longs trajets en voiture (pas plus de 200 à 300 km par jour), qui peuvent causer des contractions avant terme à cause des vibrations[8]. Il est aussi préférable de s'arrêter durant le trajet à quelques reprises et de marcher un peu pour éviter d'avoir les jambes lourdes.

8. Est-ce que nous allons réussir à joindre les deux bouts ?

Les rôles des pères et des mères dans la dynamique économique des foyers québécois ont connu une véritable révolution depuis quelques décennies. Bien que les femmes soient généralement, aujourd'hui, beaucoup plus autonomes sur le plan financier, il demeure que la mission biologique du père de subvenir aux besoins de sa famille n'appartient pas qu'au passé. Le père a souvent le réflexe de travailler pour trois, pour se rassurer quant à la santé financière de la maisonnée pendant la grossesse et une fois que le bébé est né[9]. À l'opposé, certains pères demeurent à la maison avec leur bébé et certaines mères réintègrent rapidement le marché du travail après l'accouchement. Renseignez-vous au sujet du Régime québécois d'assurance parentale. La plupart des couples ne sont pas aux prises avec des difficultés financières après la naissance d'un enfant. Ils s'adaptent au fur et à mesure. Entamez la communication à ce sujet entre vous.

LA SEXUALITÉ PENDANT LA GROSSESSE : MODE D'EMPLOI

Entre les changements hormonaux et physiques que la mère vit et ses interrogations, le désir sexuel peut fluctuer pendant les neuf mois, tout comme il peut demeurer stable. Il est entre autres probable qu'elle n'ait pas envie de faire l'amour avec pénétration. Toutefois, en matière de jeux intimes pendant la grossesse, il n'y a pas de modèle et d'encadrement particuliers, à moins de contre-indications médicales (ex. : risque d'accouchement prématuré ou avoir « crevé ses eaux »). Il est recommandé que la mère exprime ses besoins, émotions et attentes à son conjoint. Patience, compréhension et communication seront probablement des qualités à développer dans votre couple pendant cette période. Peut-être pouvez-vous profiter de la grossesse pour instaurer de nouvelles habitudes intimes ? La tendresse, les gestes sensuels, les massages et

pour les couples

Rédiger un contrat de vie commune ?

La naissance d'un enfant au sein de votre foyer peut être une occasion de vous intéresser aux liens juridiques entre vous et votre partenaire. Au Québec, la Loi sur le patrimoine familial prévoit des mesures pour tous les couples mariés. Cette loi porte sur des modalités concernant le partage des biens, en cas de rupture conjugale. Son but est de protéger le conjoint ou la conjointe qui s'occupe des enfants et des tâches familiales, et qui risque de se retrouver économiquement désavantagé, en cas de rupture. Comme cette loi ne s'applique pas aux conjoints de fait, il est conseillé de rédiger un contrat de vie commune qui définisse vos droits et obligations l'un envers l'autre si vous n'êtes pas mariés. Il peut porter sur la description des biens et des dettes de chacun au début de la vie commune, sur le partage des biens, incluant votre résidence, et sur ce que vous feriez advenant un décès, une invalidité, une rupture, etc.

Pour rédiger ce type de document, il n'est pas obligatoire de faire appel à un conseiller juridique. Divers modèles sont offerts sur Internet. Un contrat signé par les parties, en présence d'un témoin, peut faire l'affaire. L'important est d'y réfléchir, si tel est votre désir, de passer à l'action et de le mettre à jour afin de protéger les intérêts de vos enfants. Pour en savoir plus, vous pouvez consulter le site : educaloi.qc.ca.

l'amour oral peuvent s'avérer des avenues intéressantes si votre sexualité habituelle ne vous convient plus. Bien entendu, à moins de contre-indications médicales, la pénétration peut encore faire partie de votre intimité. Non seulement la sexualité n'est pas proscrite durant toute la grossesse, mais elle est excellente pour la santé de votre bébé. Le père, la mère et le bébé bénéficient de l'effet des endorphines, une hormone euphorisante sécrétée pendant l'acte sexuel.

Premier trimestre : l'importance d'entamer la communication

Lors des trois premiers mois de la grossesse, il arrive que la mère ait une baisse de libido. Elle est souvent plus sujette à une hypersensibilité des seins, à des nausées, à de la fatigue et peut avoir peur de faire une fausse couche. L'augmentation de son taux de progestérone peut inhiber son désir sexuel. Certains hommes ont également peur que les relations sexuelles augmentent les risques d'avortement spontané, mais ce n'est pas le cas.

Deuxième trimestre : une libido à la hausse ?

Lors du deuxième trimestre, l'augmentation du taux d'œstrogènes augmente généralement la lubrification du vagin de la femme enceinte. Ses organes génitaux peuvent être congestionnés et épais, comme si elle était en état d'excitation sexuelle. Ses seins peuvent être davantage réceptifs au plaisir. À ce stade de la grossesse, elle peut se sentir choyée à l'idée que son conjoint l'ait choisie pour partager cette importante expérience de vie. Il est aussi possible qu'au contraire sa libido soit à un point mort, que son vagin ne se lubrifie plus suffisamment ou qu'elle n'accepte pas les changements de son corps. Si telle est votre situation, ne perdez pas de vue que cet état est habituellement circonstanciel et temporaire. Sachez aussi que des études ont déjà confirmé que l'activité sexuelle n'a pas d'incidence sur la prématurité des accouchements.

Troisième trimestre : l'inconfort au rendez-vous ?

Au cours du dernier trimestre de grossesse, la femme enceinte peut se sentir moins à l'aise sur le plan corporel. Elle peut avoir un ventre lourd, des maux de dos ou faire de l'insomnie. Il se peut qu'elle craigne de plus en plus l'accouchement. Sa sexualité peut en être affectée. Toutefois, dans les toutes dernières semaines de la grossesse, l'acte sexuel entretient la musculature pelvienne et l'appareil génital pour favoriser l'accouchement. Soumis à divers changements hormonaux, le corps de la

Question de parents

Doit-on s'inquiéter d'avoir des saignements ou de petites contractions à la suite de relations sexuelles ?

Il n'est généralement pas grave d'avoir quelques pertes sanguines et quelques contractions à la suite d'une relation sexuelle. Durant la grossesse, le col de l'utérus est extrêmement vascularisé et il peut arriver que des vaisseaux sanguins se rompent au contact du pénis. Quant aux contractions, elles sont induites par l'ocytocine, hormone sécrétée pendant l'orgasme. Par contre, si votre placenta est inséré plus bas que la normale, que vous avez un groupe sanguin avec un rhésus sanguin négatif, que les saignements perdurent quelques heures ou qu'ils sont abondants, ou encore que les contractions sont douloureuses et se répètent à plusieurs reprises pendant plus d'une heure (avant 37 semaines de grossesse), consultez un médecin sans tarder.

Mythe

?!

La future mère est moins jolie aux yeux de son amoureux.

La plupart des hommes trouvent leur conjointe belle et sensuelle pendant la grossesse. À l'idée de l'enfant à naître, ils l'aiment souvent davantage. La mère ne doit donc pas être trop sévère envers elle-même. Son amoureux trouve peut-être ses nouvelles rondeurs irrésistibles. Toutefois, même s'ils trouvent leur partenaire belle, certains hommes peuvent ressentir moins de désir ou hésiter à lui faire l'amour par peur de nuire à la grossesse. Si c'est le cas, entamez la communication dans votre couple. Sachez que la sexualité n'est généralement pas contre-indiquée au cours des neuf mois (voir la page 21).

Trois positions confortables pour faire l'amour pendant la grossesse

1 La femme s'allonge sur le dos, les jambes écartées. L'homme s'allonge sur le côté. Il plie légèrement la jambe sur le dessus et place un bras derrière sa tête comme appui. La femme enjambe le sexe et la hanche de l'homme.

3 La femme s'allonge sur le dos. L'homme s'allonge sur elle (en position du missionnaire), mais il appuie ses deux mains pour relever la partie supérieure de son corps et éviter d'exercer une pression sur le ventre de sa partenaire.

2 L'homme est assis sur une chaise. La femme s'assoit sur lui en plaçant ses deux jambes du même côté, de manière à être perpendiculaire à son partenaire.

femme se prépare à l'accouchement. Sans faire de miracle, les relations sexuelles peuvent favoriser un déclenchement naturel du travail, en fin de grossesse. La prostaglandine du sperme favorise la maturation du col de l'utérus (ce dernier se ramollit et se rétracte). L'orgasme, qui favorise la sécrétion d'ocytocine, peut aussi amener des contractions.

BIEN SE NOURRIR, POUR SOI ET SON BÉBÉ

La femme enceinte se pose généralement beaucoup de questions concernant son alimentation. Sans requérir un programme nutritionnel compliqué, la grossesse peut s'avérer une excellente période pour réviser ses habitudes alimentaires et maintenir ensuite une santé optimale. Les besoins en calories et en éléments nutritifs sont plus élevés chez les femmes enceintes et celles qui allaitent. Le *Guide alimentaire canadien* recommande qu'elles consomment de deux à trois portions supplémentaires d'aliments de n'importe quel groupe, tout au long de la grossesse, en plus du nombre de portions généralement recommandé chaque jour pour les femmes âgées de 19 à 50 ans qui ne sont pas enceintes[10] (voir le tableau à la page 43).

7 ou 8 portions de fruits et légumes
Il est recommandé de manger un légume vert foncé et un légume orangé par jour. Une portion équivaut à 125 ml (½ tasse) de fruits ou de légumes, à un fruit de grosseur moyenne ou à 250 ml (1 tasse) de légumes feuillus crus. Les aliments de ce groupe contiennent des glucides, des fibres, de l'acide folique et d'autres vitamines et minéraux.

6 ou 7 portions de produits céréaliers
(pains, céréales, riz et pâtes alimentaires)
Une portion équivaut à une tranche de pain, à 125 ml (½ tasse) de riz ou de pâtes, ou à ½ bagel. Privilégiez les produits céréaliers à grains entiers. Les aliments de ce groupe sont riches en glucides, en fibres, en fer et en acide folique, entre autres.

Info nutrition

Six trucs pour une saine alimentation

1. Manger trois repas par jour et des collations au besoin ; le régime amaigrissant doit être mis au rancart.
2. Miser sur la variété des aliments consommés pour combler ses besoins en éléments nutritifs.
3. S'hydrater, en privilégiant l'eau, le lait et les boissons de soya enrichies (s'il n'y a pas d'allergies).
4. Limiter sa consommation de produits transformés, de *fast-food* ou d'aliments riches en farine et en sucres raffinés, et de sel. Privilégier plutôt les fruits et légumes, les grains entiers, les produits laitiers, les viandes maigres, les poissons, les fruits de mer et les protéines végétales.
5. Faire l'activité 5 de la page 43 pour vérifier si l'on consomme suffisamment d'aliments de chacun des quatre groupes alimentaires.
6. Ne pas s'empêcher de manger des aliments moins santé, en quantité raisonnable. Manger est un plaisir de la vie et de l'interdit naît le désir. Si l'alimentation quotidienne est équilibrée, on peut se permettre de petits écarts, à l'occasion, sans se culpabiliser. **M. L.**

2 portions de produits laitiers et substituts
(lait, boisson de soya enrichie, fromage et yogourt, etc.)

Une portion équivaut à 190 ml (¾ de tasse) de yogourt, à 250 ml (1 tasse) de lait ou à 50 g (1 ½ oz) de fromage. Les aliments de ce groupe procurent des protéines, des matières grasses, des glucides, du calcium et de la vitamine D.

2 portions de viandes et substituts
(bœuf, poulet, poisson, fruits de mer, œufs, légumineuses, noix, tofu, etc.)

Une portion équivaut à 75 g (2 ½ oz) de viande, à 190 ml (¾ de tasse) de légumineuses cuites ou de tofu, à 2 œufs ou à 65 ml (¼ de tasse) de noix. Les aliments de ce groupe contiennent des protéines, des matières grasses et du fer, entre autres.

Cas particuliers

Une attention particulière doit être portée à l'alimentation si la mère attend des jumeaux, est végétarienne ou végétalienne ou intolérante au lactose ou au gluten. Si la femme enceinte est végétarienne ou végétalienne, ou si elle souffre d'allergies ou d'intolérances alimentaires, il peut se révéler plus difficile de combler ses besoins, accrus durant la grossesse, en certains nutriments. Pour éviter les carences, elle doit remplacer les aliments retirés de son alimentation par des aliments équivalents, au point de vue nutritionnel, et parfois même ajouter des suppléments. Si la femme attend des jumeaux, ses besoins en nutriments et en calories seront aussi plus grands. Dans de telles situations, il est recommandé d'en parler à son médecin. Au besoin, elle pourra consulter une nutritionniste, qui évaluera son alimentation et s'assurera que son ou ses bébés ne manquent de rien.

Question de parents

Le gain de poids recommandé n'est-il pas excessif, puisque le nouveau-né pèse seulement de 3 à 4 kg (de 6 à 9 livres) ?

Chez la plupart des femmes enceintes, la prise de poids recommandée se situe entre 11,5 et 16 kg (25 et 35 livres). En plus du bébé, le gain de poids est réparti dans des tissus annexes comme le sang, le placenta, l'utérus et le liquide amniotique. Une partie sert également à la constitution d'une réserve de graisse utilisée lors de l'allaitement et à l'augmentation du volume des seins. Le gain de poids est donc normal et nécessaire durant la grossesse, et ce, même si la mère avait un surplus de poids avant de devenir enceinte. Elle doit éviter tout régime amaigrissant, car elle risque de priver son bébé de nutriments essentiels à son bon développement. Elle doit plutôt miser sur une alimentation saine et équilibrée, limiter sa consommation de *fast-food* et d'aliments transformés, et savoir écouter ses signaux de faim, sans manger de manière excessive. Si le poids prégrossesse de la mère était en dessous ou au-dessus de son poids « santé », ou si elle porte plus d'un bébé, il est conseillé qu'elle en parle à son médecin ou à une nutritionniste.

Mythe

?!

La femme enceinte doit manger deux fois plus.

La femme enceinte mange bel et bien pour deux, mais dans les faits, ses besoins en calories augmentent peu, surtout dans les premiers mois. Elle doit plutôt s'alimenter plus sainement afin de combler les besoins nutritionnels de son bébé. Au premier trimestre de grossesse, les besoins énergétiques de la femme restent sensiblement les mêmes. Au deuxième trimestre, pour la femme ayant un poids moyen, ils augmentent d'environ 350 calories par jour. Au troisième trimestre et lors de la période d'allaitement exclusif, l'organisme a généralement besoin de 450 calories par jour de plus qu'en début de grossesse[11].

LES AUTRES NUTRIMENTS ESSENTIELS PENDANT LA GROSSESSE

L'acide folique

Cette vitamine du groupe B contribue au développement du cerveau, du crâne et de la colonne vertébrale du fœtus, et ce, dès les premières semaines de vie. Elle diminue les risques de malformations congénitales, dont le spina-bifida, une anomalie du tube neural. Elle joue aussi un rôle important dans la formation de nouvelles cellules et contribue ainsi à l'augmentation du volume sanguin, à la formation du placenta et à la croissance du bébé. L'acide folique se retrouve dans plusieurs aliments, comme les légumineuses, les légumes vert foncé (ex.: asperges, épinards, brocoli, laitue romaine et choux de Bruxelles), les fruits orangés (ex.: clémentines et jus d'orange), les produits céréaliers enrichis (ex.: pâtes alimentaires, pains et céréales à déjeuner), les jaunes d'œufs, les graines de tournesol et le germe de blé. Même si de nombreux aliments en contiennent, l'alimentation à elle seule ne suffit pas toujours à combler les besoins quotidiens nécessaires pendant la grossesse.

Selon Santé Canada, les femmes enceintes devraient prendre tous les jours une multivitamine prénatale renfermant 0,4 mg d'acide folique tout au long de leur grossesse[12]. Idéalement, ce supplément devrait être commencé trois mois avant la conception, car les anomalies du tube neural surviennent dès les premières semaines de grossesse, souvent avant même que la femme sache qu'elle est enceinte. Certaines conditions de santé peuvent nécessiter un supplément à teneur plus élevée en acide folique. Son médecin en avisera la mère, le cas échéant.

Le fer

Pour diverses raisons, les besoins en fer augmentent chez la femme enceinte, surtout au cours des deuxième et troisième trimestres. Le fer sert à fabriquer l'hémoglobine, un constituant des globules rouges du sang chargé de distribuer l'oxygène partout dans l'organisme. Or, pendant la grossesse, le volume sanguin s'accroît, ce qui augmente le besoin en fer pour constituer l'hémoglobine. S'il y a une carence en fer, la formation d'hémoglobine diminue et entraîne par le fait même une « panne » dans la distribution d'oxygène. L'anémie s'ensuit et elle est caractérisée entre autres par une pâleur, une grande fatigue et une plus grande susceptibilité aux infections comme le rhume et la grippe. De plus, le fer assure la croissance du placenta et du bébé. Au cours du dernier trimestre, il permet au bébé de faire des réserves de fer, en vue de ses six premiers mois de vie. Pendant la grossesse, il est recommandé de consommer 27 mg de fer par jour, besoins presque doublés par rapport à ceux d'une femme qui n'est pas enceinte. Or, il est souvent difficile de combler ses besoins en fer seulement par l'alimentation.

Santé Canada recommande que les femmes enceintes prennent quotidiennement une multivitamine prénatale renfermant entre 16 et 20 mg de fer[13]. Par ailleurs, il est essentiel d'intégrer des aliments riches en fer à son menu quotidien. Dans l'alimentation, il existe deux types de fer: celui d'origine animale (ex.: que l'on trouve dans les viandes, les volailles, les poissons et les fruits de mer) et celui d'origine végétale (ex.: que l'on trouve dans les légumineuses, le tofu, les noix, le chia, le quinoa, les céréales à déjeuner, les pains et pâtes alimentaires enrichis, les légumes verts feuillus comme les épinards, les pommes de terre, les fruits séchés et la mélasse noire).

À savoir: Bien que le foie soit très riche en fer, il est à éviter durant la grossesse en raison de sa forte teneur en vitamine A, qui pourrait augmenter le risque de malformations du bébé.

La vitamine B12

La vitamine B12 a un rôle semblable à celui de l'acide folique. Elle est essentielle à la croissance du fœtus, à la fabrication des globules rouges et au bon fonctionnement du système nerveux. Elle se trouve naturellement dans les produits d'origine animale (ex.: viandes, volailles, poissons, fruits de mer, œufs et produits laitiers). Certains produits d'origine végétale peuvent en être enrichis, comme les boissons de soya et les substituts de viande à base de soya.

Cinq trucs pour optimiser la consommation de fer

1. Consommer au moins deux portions de viandes et substituts par jour et privilégier des collations riches en fer, comme les céréales à déjeuner enrichies et les graines de citrouille.

2. Le fer d'origine végétale est moins bien absorbé par l'organisme que celui d'origine animale. Pour optimiser son absorption, ingérer une source de vitamine C au cours du même repas (ex.: brocoli, poivron, orange ou kiwi).

3. Éviter le thé et le café durant les repas, car ils diminuent l'absorption du fer. Les boire une à deux heures avant ou après les repas.

4. Le calcium réduit l'absorption du fer. Il est donc déconseillé de prendre un supplément de calcium au même moment que le supplément de fer ou qu'un repas riche en fer. Toutefois, il ne faut pas se priver pour autant de mélanger dans son assiette des aliments riches en calcium et en fer.

5. Si la femme enceinte souffre d'anémie, un supplément de fer additionnel et une consultation auprès d'une nutritionniste seront probablement recommandés par son médecin.

M. L.

Santé Canada recommande un apport quotidien de 2,6 µg de vitamine B12 pour la femme enceinte, qu'il est assez facile d'aller chercher à même l'alimentation[14]. À titre d'exemple, 75 g (2 ½ oz) de bœuf haché cuit en renferment 2,5 µg, alors qu'on en trouve 1,0 µg dans 250 ml (1 tasse) de boisson de soya enrichie. Les femmes végétariennes, particulièrement les végétaliennes, sont davantage à risque d'être carencées. Dans un tel cas, il serait recommandé d'en parler à son médecin; un supplément pourrait s'avérer indiqué si la mère ne consomme pas assez d'aliments riches en vitamine B12.

Les protéines

Les protéines procurent de l'énergie à long terme et aident la femme enceinte à se rendre au prochain repas sans trop avoir faim. Durant la grossesse, elles sont essentielles à la formation des organes et des muscles du bébé, à l'expansion du volume sanguin ainsi qu'au développement du placenta, de l'utérus et des seins. Ainsi, les besoins en protéines sont augmentés, surtout au cours des deuxième et troisième trimestres. Si la mère n'en consomme pas suffisamment, le bébé ira puiser dans ses réserves: les muscles. Il est donc recommandé d'avoir une source de protéines à chaque repas, et même aux collations.

Les principales sources de protéines sont les viandes et leurs substituts (ex.: viandes, volailles, poissons, fruits de mer, œufs, légumineuses, noix, beurre d'arachides et tofu) ainsi que les produits laitiers et leurs substituts (ex.: lait, yogourt, fromage et boisson de soya). Notez que les protéines végétales s'avèrent moins complètes que les protéines animales. Les végétaliennes doivent donc miser sur la complémentarité des protéines végétales et en varier les sources au cours de la journée.

Le calcium

Le calcium est essentiel durant la grossesse, car il contribue à la formation des os et des dents. Toutefois, grâce à des adaptations de son corps, la femme enceinte doit en consommer la même quantité qu'avant sa grossesse, soit 1000 mg par jour. Ses intestins l'absorbent mieux et ses reins en relâchent moins dans l'urine. Cependant, il est tout de même important que la mère en consomme suffisamment pour combler ses besoins, sans quoi son bébé ira puiser son calcium nécessaire à même ses propres os.

Les produits laitiers (ex.: lait, yogourts et fromages) sont les principales sources de calcium dans l'alimentation de la majorité des gens. Les poissons en conserve avec les arêtes (ex.: saumon et sardines) et des produits enrichis comme certains jus d'orange et certaines boissons de soya ou d'amande en sont aussi de bonnes sources. D'autres aliments d'origine végétale peuvent fournir du calcium, mais en plus petites quantités (ex.: légumes vert foncé, légumineuses et beurre d'amande).

La vitamine D

La vitamine D aide les intestins à absorber le calcium. Elle contribue à renforcer le système immunitaire et à réduire le risque de cancer. Il est recommandé que la femme enceinte absorbe 600 UI de vitamine D, soit la même quantité qu'avant la grossesse. Une exposition quotidienne au soleil de 10 minutes (pour une personne à la peau blanche) permet généralement à la peau de synthétiser de la vitamine D (en évitant les expositions excessives). Toutefois, pour s'assurer d'absorber suffisamment de vitamine D en tout temps, il est conseillé de consommer régulièrement des aliments qui en contiennent (ex.: lait, yogourts et boissons de soya enrichies, saumon, jaune d'œuf et margarine).

Si la mère n'expose pas régulièrement sa peau au soleil (ex.: pendant l'hiver) ou qu'elle a une peau foncée, il est recommandé de vérifier auprès de son médecin si elle doit prendre un supplément de vitamine D.

Les acides gras oméga-3

Ces types de gras, qui ne peuvent pas être produits par le corps lui-même, contribuent au bon développement du cerveau et des yeux du fœtus. Les fruits de mer et les poissons gras (ex.: saumon, truite, maquereau et sardines) en contiennent. Des oméga-3 de source végétale se trouvent aussi dans l'huile de soya et de canola, dans les graines de lin, de chia ou de citrouille et dans les noix de Grenoble. Notez toutefois que même si l'huile de lin est riche en oméga-3, elle est à éviter pendant la grossesse, car elle peut augmenter le risque d'accouchement prématuré.

Info nutrition

Quatre trucs pour optimiser la consommation d'oméga-3

1. Planifier deux ou trois repas de poissons gras par semaine.
2. Manger des graines de citrouille et des noix de Grenoble lors des collations, et ajouter des graines de chia ou de lin moulues aux yogourts, aux compotes, aux céréales ou aux muffins.
3. Opter pour les œufs enrichis d'oméga-3.

4. Concocter des vinaigrettes avec de l'huile de canola ou de soya.

Si la mère estime ne pas ingérer suffisamment d'oméga-3, il est recommandé qu'elle consulte une nutritionniste ou qu'elle se renseigne auprès de son médecin au sujet d'un supplément d'oméga-3. **M. L.**

La consommation de poisson recommandée

Santé Canada recommande aux femmes enceintes de continuer à consommer au moins 150 g (5 oz) de poisson cuit par semaine, soit deux portions, comme il est mentionné dans le *Guide alimentaire canadien*[15], mais leur suggère également de porter une attention toute spéciale aux types de poissons qu'elles mangent.

Les femmes enceintes devraient choisir des types de poissons qui contiennent habituellement peu de contaminants, comme le saumon, la truite, l'aiglefin, la goberge, la sole, le thon pâle en conserve et les anchois.

D'autres poissons comme le thon frais ou surgelé et l'espadon sont plus contaminés. La femme enceinte doit limiter leur consommation à 150 g (5 oz) par mois. Il lui est aussi conseillé d'éviter d'ingérer plus de 300 g (10 oz) de thon blanc en conserve par semaine, ainsi que certains poissons de pêche sportive (ex.: brochet, achigan, doré et truite grise), qui peuvent être contaminés.

Question de parents

La femme enceinte doit-elle absolument prendre une multivitamine prénatale ?

La plupart des médecins recommandent aux femmes enceintes de prendre une multivitamine prénatale sur une base quotidienne, tout au long de leur grossesse. Toutefois, il arrive que des femmes décident de réviser leurs habitudes nutritionnelles dès le début de leur grossesse pour se procurer les vitamines nécessaires à partir de leur alimentation, notamment si la multivitamine prénatale leur occasionne des nausées ou de la constipation.

Dans une telle situation, la prise de certains suppléments, consommés séparément, est recommandée pour que la femme enceinte comble ses besoins en éléments nutritifs essentiels. Un supplément d'acide folique, de fer ou de tout autre nutriment qui risque d'être en carence dans son alimentation est indiqué. Pour obtenir davantage d'information à ce sujet, la femme enceinte peut consulter son médecin ou une nutritionniste.

Pour Mélanie Ladouceur, nutritionniste, la multivitamine prénatale constitue un coussin de sécurité qui permet de s'assurer que le bébé aura tout ce dont il a besoin pour bien se développer. Les besoins en nutriments étant élevés durant la grossesse, il peut s'avérer difficile de les combler seulement par l'alimentation, et ce, même si l'on mange bien. Toutefois, la multivitamine est là pour compléter et non pour remplacer une alimentation équilibrée, tout au long de la grossesse.

L'eau : source d'une grossesse en santé

Étant donné que le volume sanguin s'accroît pendant la grossesse et que la mère est plus sujette à la constipation, elle doit boire davantage (environ 3 litres [12 tasses] de liquide par jour). Pour prévenir des contractions prématurées, elle doit particulièrement éviter la déshydratation, surtout lors de la pratique d'activités physiques qui la font transpirer. Bonne nouvelle : pour atteindre les 3 litres par jour, tous les liquides comptent, même l'eau contenue dans les aliments. Le meilleur breuvage demeure néanmoins l'eau. Préférez-la aux boissons gazeuses et aux jus, qui sont caloriques et peuvent augmenter le gain de poids.

À savoir : Si la mère n'aime pas le goût neutre de l'eau, elle peut ajouter un peu de jus d'agrumes (ex. : citron, citron vert ou orange) à son eau plate ou pétillante.

LES ALIMENTS À ÉVITER PENDANT LA GROSSESSE

Modération et boissons… caféinées

La future mère n'a pas à se priver de savourer son café matinal durant sa grossesse. Toutefois, elle doit limiter sa consommation à 300 mg de caféine par jour, soit l'équivalent de deux tasses de café filtre. La caféine contenue dans le café, mais aussi dans le thé, certaines boissons gazeuses et le chocolat peut causer un retard de croissance chez le bébé si elle est ingérée avec excès. Elle diminue aussi l'absorption du fer et du calcium, deux nutriments essentiels pendant la grossesse. Autres options : la mère peut opter pour un café décaféiné, du lait chaud aromatisé de miel et de cannelle, une tisane de pelures d'agrumes ou de gingembre.

À savoir : Les boissons énergisantes, qui sont populaires chez les jeunes, sont proscrites durant la grossesse.

Question de parents

La femme enceinte peut-elle manger du fromage au lait cru et des sushis ?

Le fait d'être enceinte affaiblit le système immunitaire de la future mère. Elle est donc plus vulnérable aux infections d'origine alimentaire. Les produits laitiers au lait cru (non pasteurisés) et les sushis ou tartares contenant des viandes ou des poissons crus peuvent entre autres causer la listériose, une affection assez rare qui est due à une bactérie, *Listeria monocytogenes*. Ses symptômes chez la mère sont semblables à ceux de la grippe ou de la gastro-entérite. Si elle infecte le fœtus, elle peut provoquer une fausse couche, un accouchement prématuré ou une infection grave chez le bébé, comme la méningite. Toutefois, il y a moyen de trouver des solutions de remplacement à ces plaisirs de la vie ! La mère peut dénicher de nouvelles sortes de fromages pasteurisés ou faire cuire ses fromages au lait cru préférés (ex. : en gratin ou en fondue au fromage). Elle peut aussi demander à son restaurant de sushis préféré, en qui elle a confiance, de lui préparer (sur une planche séparée et désinfectée, avec un couteau propre) des sushis végétariens ou contenant des fruits de mer cuits. Elle peut même apprendre à les confectionner elle-même ! Si, par hasard, elle a déjà mangé du fromage au lait cru et quelques sushis pendant sa grossesse, elle ne doit surtout pas se culpabiliser.

Mythe

?!

Il faut manger des fruits et des légumes bios pendant la grossesse.

Quelques recherches ont déjà comparé la valeur nutritive de fruits et légumes biologiques et conventionnels. Les produits biologiques seraient un peu plus riches en vitamine C, en fer, en magnésium et en phosphore. De plus, les aliments ainsi cultivés contiendraient moins de résidus de pesticides[16]. Par contre, la fraîcheur des fruits et légumes est aussi un facteur important pour une teneur élevée en vitamines. Par exemple, un poivron biologique qui provient de Californie sera probablement moins frais et riche en vitamines qu'un poivron non biologique cultivé près de chez vous. Les fruits et légumes de saison récoltés dans votre région, ou ceux, surgelés, bios ou non, qui sont cueillis à pleine maturité, peuvent donc constituer une option intéressante puisqu'ils sont gorgés de nutriments.

Par ailleurs, les bénéfices pour la santé des fruits et légumes sont de loin supérieurs aux risques que représentent les résidus de pesticides, dont les taux sont de surcroît contrôlés par les autorités afin d'assurer la santé de la population. Pour éviter d'ingérer des résidus de pesticides, il est recommandé de laver et de brosser soigneusement les fruits et légumes à l'eau chaude avant de les manger.

L'alcool, le tabac et les drogues causent d'importantes séquelles

Un lien entre le tabagisme pendant la grossesse et la naissance de bébés avant terme ou de poids insuffisant a clairement été démontré dans des études cliniques. Si la mère ne parvient pas à se sevrer complètement de la nicotine, il est recommandé qu'elle réduise sa consommation de cigarettes et qu'elle se fasse aider par un professionnel de la santé. Les femmes non fumeuses, quant à elles, doivent éviter d'être exposées à la fumée secondaire. Dans un tel contexte, leur bébé reçoit moins d'oxygène et de nutriments, et il est soumis à des substances chimiques qui traversent le placenta.

Par ailleurs, la consommation abusive ou régulière d'alcool pendant la grossesse peut compromettre la santé mentale et physique du bébé. Celui-ci reçoit la même quantité d'alcool que sa mère, car l'alcool traverse le placenta, mais son foie étant encore immature, il n'est pas en mesure de bien l'éliminer de son sang. Les risques d'avortements spontanés, de malformations, de retard de croissance et de déficience mentale augmentent avec la quantité d'alcool ingérée par la mère lors d'une même occasion, et avec la fréquence de sa consommation.

À ce jour, la recherche ne permet pas de déterminer un seuil minimal de consommation entièrement sécuritaire pour le développement du futur bébé, même s'il n'y a pas de preuve formelle que le fait de prendre un verre à l'occasion ait un effet nocif sur le fœtus[17]. La communauté scientifique estime donc qu'éviter de consommer de l'alcool demeure le choix le plus sécuritaire. La mère peut consulter son médecin pour obtenir de l'aide, au besoin. Cidres, bières, vins et boissons sans alcool sont aussi des solutions de remplacement festives à l'alcool.

À savoir: Toutes les drogues sont à éviter durant la grossesse. Elles peuvent mener à d'importantes complications, comme une fausse couche, la prématurité, des troubles de développement (ex.: retard de croissance et difficultés d'apprentissage), voire au décès du bébé.

Mise en forme

Ne vous privez surtout pas de faire de l'exercice physique !

L'exercice physique pendant la grossesse comporte plus d'un bienfait. En voici quelques-uns :

- Il active la circulation sanguine et diminue les problèmes d'œdème, de constipation et de crampes musculaires ;
- Il contribue à réduire le stress et favorise le sommeil ;
- Il renforce les abdominaux et atténue les maux de dos ;
- Il favorise une meilleure image de soi, améliore l'humeur et donne de l'énergie ;
- Il améliore le tonus et l'endurance musculaire en vue de l'accouchement ;
- Il aide à prévenir le diabète de grossesse et l'hypertension ;
- Il favorise la descente du bébé (grâce à la gravité) dans le bassin de sa mère en fin de grossesse.

J. L.

BOUGER, POUR LA SANTÉ DE LA MÈRE ET CELLE DE SON BÉBÉ

Il est faux de croire que l'exercice physique est contre-indiqué pendant la grossesse ou qu'il occasionne des fausses couches. Au contraire, il est excellent pour la mère et son bébé (voir la capsule de Josée Lavigueur à la page 34), à moins d'une contre-indication médicale (ex. : un risque d'accouchement prématuré ou de l'hypertension mal contrôlée). Selon Kino-Québec, il est recommandé à la femme enceinte de faire, aussi souvent que son état le lui permet, une activité cardiovasculaire modérée de 30 minutes (ex. : une à quatre fois par semaine), et des séances de musculation et d'étirements (ex. : une à trois fois par semaine)[18].

Natation, marche, yoga prénatal, exercices avec ballon d'entraînement et danse prénatale ont la cote auprès des femmes enceintes. L'exercice physique pendant la grossesse ne doit pas être synonyme de corvée ; la femme enceinte doit trouver une activité ludique qui lui permettra de se changer les idées. Si elle dispose de peu de temps, elle peut intégrer l'exercice à sa vie quotidienne (ex. : stationner sa voiture un peu plus loin afin de marcher une quinzaine de minutes pour se rendre au boulot, exécuter l'exercice proposé à la page 116 par Josée Lavigueur, et faire son ménage avec entrain, en écoutant sa musique favorite).

La future maman peut continuer son programme d'entraînement habituel, à une fréquence raisonnable, sans excès, douleur ou inconfort. Elle ne peut pas augmenter ses performances sportives ; elle doit plutôt réduire l'intensité aérobique de ses activités. Elle doit aussi éviter les sports qui comportent des sauts répétitifs ou des mouvements saccadés (ex. : jogging), des risques de chute (ex. : ski alpin), d'étourdissement (ex. : les tours de 360 degrés en danse) ou d'impacts (ex. : le tennis, où elle pourrait recevoir une balle sur le ventre).

Avant d'amorcer une nouvelle activité physique, il est recommandé de vérifier auprès de son médecin toute contre-indication médicale. Au besoin, la femme enceinte peut consulter un entraîneur physique, qui concevra un programme sportif adapté à ses besoins. Pour plus d'information concernant le sport et la nutrition, on peut consulter l'ouvrage *Sport et nutrition pendant et après la grossesse*, d'Élise Hofer et Mélanie Olivier, publié aux Éditions de l'Homme, et se procurer le DVD *Exercices prénataux*, de Josée Lavigueur.

Question de parents

Quelles sont les contre-indications à l'activité physique pendant la grossesse ?

Si la femme enceinte éprouve des difficultés respiratoires, si sa tension artérielle est élevée, si elle a des saignements vaginaux persistants, une carence en fer, une grossesse à fœtus multiples ou encore des contractions douloureuses et régulières, elle doit consulter son médecin avant de poursuivre ses activités sportives habituelles[19].

CINQ MALAISES FRÉQUENTS PENDANT LA GROSSESSE ET LEURS SOLUTIONS

Plusieurs femmes s'épanouissent sur plusieurs plans lors d'une grossesse. Toutefois, la majorité d'entre elles connaissent aussi des malaises, de temps à autre, au cours des neuf mois. En voici quelques-uns, ainsi que des solutions pour en soulager la mère.

1. Les nausées

Les nausées peuvent survenir lors du premier trimestre de grossesse, accompagnées parfois de vomissements. Quelquefois, les nausées persistent après le premier trimestre. Les causes demeurent à ce jour encore inconnues, mais il se pourrait que les changements hormonaux ou un déficit en vitamine B6 en soient la cause. Voici quelques méthodes pour soulager les nausées :

- Si vous éprouvez des nausées le matin, prenez votre petit-déjeuner au lit et levez-vous en douceur. Les craquelins (biscuits soda) ou les céréales sèches ont la cote ;
- Mangez souvent, lentement et peu à la fois, les aliments que vous tolérez. Vous éviterez ainsi d'avoir l'estomac vide. Les nausées sont pires à jeun ;
- Évitez les aliments dont l'odeur ou la consistance vous donne des nausées, ainsi que les mets gras, épicés ou trop raffinés ;
- Évitez les odeurs de cuisson ; optez pour des aliments froids ou demandez à votre partenaire de cuisiner pour vous et assurez-vous de bien ventiler votre cuisine ;
- Buvez entre les repas et non pas pendant (essayez entre autres une eau pétillante citronnée qui peut vous soulager) ;
- Ajoutez du gingembre frais à vos mets, mangez des biscuits au gingembre ou faites-vous une infusion de gingembre. Consommée à petites doses, cette racine est une alliée contre les nausées ;
- Évitez de vous étendre après le repas ; allez plutôt marcher pour vous oxygéner ainsi que votre bébé ;
- Prenez un supplément de vitamine B6, sous recommandation de votre médecin.

Si les nausées et les vomissements persistent, votre médecin peut vous prescrire du Diclectin®, seul médicament anti-nausée approuvé par Santé Canada pour les femmes enceintes. Celui-ci est composé de vitamine B6 et est combiné à un antihistaminique. Si les vomissements persistent, nuisent à vos apports alimentaires et à votre prise de poids ou occasionnent de la déshydratation (ex. : urine foncée ou sécheresse de la bouche), il est très important de consulter votre médecin.

2. Les brûlures d'estomac et les reflux gastro-œsophagiens

Les hormones sécrétées pendant la grossesse, comme la relaxine, mènent souvent au relâchement de la valve qui ferme l'estomac. Le contenu de l'estomac, qui est acide, a donc tendance à remonter vers l'œsophage. De plus, au fur et à mesure que le bébé grossit, l'utérus prend plus de place et il pousse contre l'estomac. Voici quelques méthodes pour soulager les brûlures d'estomac et les reflux gastro-œsophagiens :

- Mangez de petites quantités, lentement, plusieurs fois par jour, en prenant soin de bien mastiquer ;
- Évitez de boire en mangeant ;
- Réduisez votre consommation de café, de thé, de chocolat, de menthe, d'aliments gras, acides (ex. : tomate et agrumes) ou épicés ;
- Évitez de vous coucher immédiatement après le repas ;
- Demandez conseil à un pharmacien. Il pourrait vous suggérer un antiacide en vente libre qui soit sécuritaire durant la grossesse. En cas de sensations trop désagréables, parlez-en à votre médecin.

3. La constipation

La grossesse prédispose à la constipation. La diminution des contractions intestinales, provoquée par les modifications hormonales, et la compression des intestins par l'utérus, peuvent ralentir le transit et rendre difficile l'expulsion des selles. Chez certaines femmes, une multivitamine ou un supplément de fer peuvent aussi causer de la constipation. Voici quelques méthodes pour la soulager :

L'acupuncture, l'ostéopathie, la chiropractie et la naturopathie pour soulager les malaises

Si la mère éprouve des nausées ou tout autre malaise de grossesse persistant, un traitement de fond avec un acupuncteur, un ostéopathe, un chiropraticien ou un naturopathe peut être envisagé, parallèlement à un suivi médical conventionnel.

En plus de procurer un moment de relaxation, ce type de soins pourrait contribuer à prévenir et à soulager plusieurs maux de grossesse. Il est toutefois recommandé de choisir un professionnel spécialisé pour les femmes enceintes. Votre médecin ou une accompagnante à la naissance peut vous en proposer un.

- Buvez une boisson chaude en vous levant le matin, avant le petit-déjeuner, cela stimulera vos intestins ;
- Augmentez votre consommation de fibres (ex. : fruits, légumes, produits céréaliers à grains entiers, légumineuses, etc.). Si vous ne consommez généralement pas beaucoup de fibres, introduisez-les graduellement pour laisser le temps à vos intestins de s'adapter et prévenir les ballonnements ;
- Ajoutez du son de blé ou des graines de lin ou de chia moulues à vos céréales ou à votre yogourt ;
- Prenez un laxatif naturel. Demandez conseil à votre médecin ;
- Buvez beaucoup de liquide. Les fibres ont besoin de liquide pour se gorger d'eau et augmenter le volume des selles ;
- Consommez du jus de pruneau ou mangez des pruneaux séchés, mais à l'occasion seulement, car vos intestins peuvent s'habituer aux substances laxatives qu'ils contiennent ;
- Intégrez les probiotiques à votre alimentation. Vous les trouverez entre autres dans certains yogourts ;
- Faites de l'activité physique régulièrement (pour augmenter la motilité intestinale) ;
- Allez à la selle dès que le besoin se présente.

À savoir : Certains laxatifs sont dangereux durant la grossesse et peuvent déclencher des contractions. Consultez votre médecin. Priorisez avant tout les changements alimentaires.

4. Les maux de dos

Le poids de l'utérus et le relâchement des ligaments, des muscles et des tendons au niveau du bassin, à la suite de la sécrétion d'hormones comme la relaxine, peuvent notamment causer des problèmes de posture et un mal de dos. Pour les soulager :

- Surveillez votre posture : le dos doit toujours être droit, que vous soyez debout ou assise ;
- Changez régulièrement de position ;
- Évitez de croiser les jambes et procurez-vous un petit banc d'appoint pour surélever légèrement vos pieds, en position assise ;
- Pratiquez la natation ou le yoga prénatal ;
- Portez des chaussures confortables sans talon (ou avec un talon de 3 à 5 cm [1 ¼ à 2 po] de hauteur maximum) ;
- Essayez des soins d'ostéopathie, de chiropractie, d'orthothérapie et de massothérapie, en mentionnant toujours que vous êtes enceinte. Ces spécialistes traitent souvent efficacement les maux de dos ;
- Changez votre matelas s'il ne soutient pas bien votre dos ;
- Les analgésiques comme l'acétaminophène (ex. : Tylenol®) peuvent réduire la douleur. Consultez votre médecin à ce sujet. Attention : l'acide acétylsalicylique (ex. : Aspirin®) et l'ibuprofène (ex. : Advil®) sont généralement contre-indiqués pendant la grossesse.

5. Les troubles du sommeil

Les changements hormonaux, l'inconfort physique, le fait d'aller davantage aux toilettes ou d'être inquiète peuvent provoquer l'insomnie. Pour l'éviter :

- Le jour, tentez d'éliminer les sources de stress de votre vie, et le soir, changez-vous les idées avant de vous coucher, en lisant un roman, par exemple ;
- Ne vous privez pas de dormir, tout au long de votre grossesse, dans la mesure du possible. Par exemple, adonnez-vous à des siestes de 10 minutes au bureau, à quelques reprises dans la journée ;
- Faites régulièrement des séances d'exercice, afin de sécréter davantage d'endorphines, une hormone qui aide à dormir ;

- Évitez de consommer des aliments stimulants comme le chocolat et le café;
- Détendez-vous dans un bain qui n'est pas trop chaud. Si vous appréciez l'huile essentielle de lavande, déposez-en ensuite quelques gouttes sur votre oreiller. En aromathérapie, on reconnaît à la lavande des propriétés apaisantes;
- Méditez et visualisez votre bébé en bonne santé avant de dormir;
- Couchez-vous sur le côté gauche (pour éviter de faire pression sur la veine cave, qui ramène la circulation sanguine du bas du corps vers le haut, et qui passe à droite de l'utérus) et installez un oreiller sous votre ventre et un autre sous vos genoux.

À savoir: Les somnifères ou la mélatonine risquent d'endormir le fœtus. Il vaut donc mieux amorcer un traitement de terrain (c'est-à-dire un traitement qui soigne les causes profondes; ex.: l'acupuncture) pour tenter de régler l'insomnie chronique.

Les médicaments et conseils mentionnés dans cette section sont donnés à titre informatif seulement. La consultation médicale demeure indispensable pour un traitement personnalisé. En effet, certains symptômes apparaissant au cours de la grossesse peuvent être associés à des maladies plus graves.

Clin d'œil de l'accompagnante
L'ostéopathie, elle soulage plus qu'un simple mal de dos !

L'ostéopathie est connue pour prévenir et traiter les pertes de mobilité des tissus du corps par l'entremise de techniques manuelles précises. Contrairement à la perception populaire, elle n'est pas seulement efficace pour remédier aux maux de dos. Au fil des accompagnements qu'elle a effectués au cours des dernières années, Sylvie Thibault a remarqué que l'ostéopathie avait souvent contribué à soulager des maux de grossesse, comme ce fut le cas pour Geneviève. Elle explique: «Geneviève, qui attendait un deuxième bébé, a consulté Christine Dierick, une ostéopathe, alors qu'elle en était à 20 semaines de grossesse. Elle éprouvait des douleurs au bas du dos et à la fesse droite. À la suite des soins ostéopathiques, les symptômes de Geneviève ont diminué.

Ces soins lui ont permis d'améliorer le mouvement de ses vertèbres, de relâcher ses muscles, de libérer des tensions ligamentaires, de favoriser la circulation sanguine et le retour lymphatique. Devant de tels résultats, Geneviève a poursuivi ses traitements pour soulager un œdème au niveau des jambes, des douleurs au sacrum et au coccyx (en position assise), un reflux gastrique persistant et une douleur au genou. De plus, son ostéopathe s'est servie de techniques de relâchement musculaire pour favoriser la descente de son bébé dans le bassin. Elle a aussi vérifié la souplesse des muscles de son plancher pelvien et la bonne mobilité des os de son bassin, en vue de l'accouchement. Les résultats furent optimaux.»

De la théorie à la pratique

Vous trouverez toutes les activités de ce livre sur le site mereetmonde.com

Maintenant que vous avez terminé votre premier cours prénatal, vous pouvez essayer les activités suivantes pour amorcer la grossesse du bon pied !

ACTIVITÉ 1 : CALCULEZ LA DATE PRÉVUE DE L'ACCOUCHEMENT (DPA)

Si la mère connaît la date de ses dernières menstruations (DDM) et que son cycle menstruel est généralement de 28 jours, elle peut effectuer le calcul suivant pour trouver elle-même sa DPA :

1er jour des dernières règles – 3 mois + 7 jours

Exemple :

Si le 1er jour de ses dernières règles était le 10 juin, elle devra effectuer le calcul suivant :

10 juin – 3 mois = 10 mars de l'année suivante

10 mars de l'année suivante + 7 jours = 17 mars de l'année suivante

Sa DPA serait donc dans les environs du 17 mars de l'année suivante.

ACTIVITÉ 2 : ÉLÉMENTS DE RÉFLEXION POUR LES PARENTS

Il est recommandé d'effectuer les deux exercices suivants séparément. Une fois que chacun aura terminé sa partie, vous pourrez entamer la discussion entre vous.

A) Pour la future mère

Les affirmations suivantes vous permettront de mieux connaître vos valeurs en tant que mère, avec les joies, mais aussi les peurs qui sont associées à la maternité. Complétez-les spontanément.

1. **Pour moi, la maternité a toujours été synonyme de...**

_____

_____

2. **Avoir des enfants signifie pour moi...**

_____

_____

_____

3. J'ai comme image de la maternité...

_____

_____

4. Le corps d'une femme enceinte est...

_____

_____

5. Quand je pense au jour J, je me sens...

_____

_____

6. Quand je ressens de la douleur, je...

_____

_____

7. Ma plus grande peur pour l'accouchement, c'est...

_____

_____

8. Ma mère décrit ses accouchements en disant...

_____

_____

9. Ce que je pense le plus apprécier lors de l'accouchement, c'est...

_____

_____

10. Ce que la grossesse peut avoir changé dans ma vie sexuelle, c'est...

_____

_____

11. Notre bébé va sûrement changer notre relation de couple parce que...

_____

_____

12. Ce qui me réjouit et m'inquiète le plus au sujet du bébé qui arrive, c'est...

_____

_____

B) Pour le futur père

Les affirmations suivantes vous permettront de mieux connaître vos valeurs en tant que père, avec les joies, mais aussi les peurs qui sont associées à la paternité. Complétez-les spontanément.

1. Pour moi, la paternité signifie...

_____

_____

2. Avoir des enfants, c'est...

_____

_____

3. J'ai comme image de la paternité...

_____

_____

4. Le corps d'une femme enceinte est...

_____

_____

5. Quand je vois ma conjointe souffrante, je me sens...

_____

_____

6. Ma plus grande peur pour l'accouchement, c'est...

_____

_____

7. Ma mère décrit ses accouchements en disant...

_____

_____

8. À la vue du sang, je me sens...

_____

_____

9. Ce que la grossesse peut avoir changé dans ma vie sexuelle, c'est...

_____

_____

10. Une conjointe enceinte, ça implique que...

_____

_____

11. Je pense que le bébé va sûrement changer notre relation de couple parce que...

_____

_____

12. Ce qui m'inquiète et me réjouit le plus au sujet du bébé qui arrive, c'est...

_____

_____

ACTIVITÉ 3 : ENTAMER LA COMMUNICATION AVEC VOTRE ENFANT

Pour établir un premier contact physique avec votre enfant, auriez-vous envie de localiser sa tête, son dos, ses bras, ses mains et ses pieds dans le ventre de la mère ? Vous pouvez demander à votre médecin de vous guider en la matière. Cet exercice peut se faire dans le bain, période de détente et de communication possible avec votre bébé. Vous pouvez aussi lui chanter des refrains, caresser votre bedaine et lui parler. Il vous entend !

ACTIVITÉ 4 : ENTRER EN CONTACT AVEC VOTRE ENFANT

Une fois que vous connaîtrez la position fœtale de votre enfant (validée par votre médecin après 30 semaines de grossesse), vous pourrez entrer en contact plus étroit avec lui, notamment en le faisant réagir à la lumière. Pour y parvenir, la mère devra se coucher sur le côté gauche, le ventre nu, dans une chambre sombre. Par l'entremise d'une lampe de poche, son conjoint pourra ensuite diriger un jet de lumière vers la figure de votre enfant. Lorsque la lumière bougera, votre bébé devrait réagir en suivant la source lumineuse ou en s'en éloignant.

ACTIVITÉ 5 : ÉVALUER LES HABITUDES ALIMENTAIRES DE LA FEMME ENCEINTE

Le tableau suivant permet d'évaluer les habitudes alimentaires de la future mère. Il lui suffit de le remplir pendant une semaine. Elle pourra ainsi observer si elle consomme suffisamment d'aliments dans chaque groupe alimentaire et vérifier si elle risque d'avoir des carences en certains nutriments (ex. : protéines, calcium, vitamine D, oméga-3, fer et acide folique). Rappelez-vous que le *Guide alimentaire canadien* recommande aux femmes enceintes de consommer de deux à trois portions supplémentaires d'aliments de n'importe quel groupe, tout au long de la grossesse, en plus du nombre de portions généralement recommandé chaque jour pour les femmes âgées de 19 à 50 ans qui ne sont pas enceintes (voir les portions recommandées dans le tableau ci-dessous). Au besoin, demandez conseil à une nutritionniste.

Dans le tableau suivant, cochez (✔) les cases appropriées pour chacune des portions que vous avez ingérées durant la journée.

	Fruits et légumes	Produits céréaliers	Lait et substituts	Viandes et substituts	N'importe quel groupe
	7-8 portions	6-7 portions	2 portions	2 portions	2-3 portions
Jour 1	☐☐☐☐ ☐☐☐☐	☐☐☐☐ ☐☐☐	☐ ☐	☐ ☐	☐ ☐ ☐
Jour 2	☐☐☐☐ ☐☐☐☐	☐☐☐☐ ☐☐☐	☐ ☐	☐ ☐	☐ ☐ ☐
Jour 3	☐☐☐☐ ☐☐☐☐	☐☐☐☐ ☐☐☐	☐ ☐	☐ ☐	☐ ☐ ☐
Jour 4	☐☐☐☐ ☐☐☐☐	☐☐☐☐ ☐☐☐	☐ ☐	☐ ☐	☐ ☐ ☐
Jour 5	☐☐☐☐ ☐☐☐☐	☐☐☐☐ ☐☐☐	☐ ☐	☐ ☐	☐ ☐ ☐
Jour 6	☐☐☐☐ ☐☐☐☐	☐☐☐☐ ☐☐☐	☐ ☐	☐ ☐	☐ ☐ ☐
Jour 7	☐☐☐☐ ☐☐☐☐	☐☐☐☐ ☐☐☐	☐ ☐	☐ ☐	☐ ☐ ☐

Cours 2

Le protocole de l'hôpital et le plan de naissance

À mesure que les jours passent, vous réalisez sûrement de plus en plus que vous attendez un enfant. Il est probable que la mère ait déjà commencé à mettre en application les conseils donnés dans le cours précédent concernant, entre autres, l'alimentation et l'exercice physique. Peut-être ressent-elle moins de malaises de grossesse et profite-t-elle davantage de cet état, soit celui de porter la vie ? Il est fortement recommandé d'effectuer les démarches pour trouver le professionnel de la santé qui effectuera le suivi de grossesse, ainsi que le lieu de naissance, dès les premiers jours de la grossesse, pour que votre choix corresponde à vos besoins (voir les pages 46 et 47). Plus tard, au cours du premier trimestre de grossesse (de la 1re à la 13e semaine) et du deuxième trimestre (de la 13e à la 25e semaine), vous serez amenés à mieux comprendre les interventions médicales potentiellement proposées pendant l'accouchement (voir la page 53).

UNE MINI-RÉVOLUTION EN MATIÈRE D'ACCOUCHEMENTS AU QUÉBEC ?

Avec la multitude d'informations offertes dans les librairies, les futurs parents sont généralement bien renseignés sur la grossesse et l'accouchement. Par exemple, vous savez probablement qu'il est maintenant rare que des médecins pratiquent une épisiotomie de façon systématique (voir la page 67) pendant l'expulsion du bébé. Aussi, de nos jours, il est hors de question que les pères se voient refuser l'accès à la salle d'accouchement. Par ailleurs, la plupart des protocoles d'hôpitaux (voir la page 51) évoluent constamment, suivant, entre autres, les recommandations de la Société des obstétriciens et gynécologues du Canada (SOGC).

La lecture de ce cours vous permettra de vous familiariser avec l'établissement choisi pour la naissance de votre enfant, ainsi qu'avec les professionnels de la santé. Vous serez donc en mesure de mieux communiquer avec le médecin ou la sage-femme (voir la page 46) que vous aurez choisi pour votre suivi de grossesse et de lui transmettre vos besoins dans un plan de naissance, si vous le désirez (voir la page 52). En prévision des choix que vous effectuerez et des discussions que vous amorcerez bientôt avec votre donneur de soins, sachez, de prime abord, que la grossesse est un état de santé et non pas une maladie.

QUI S'OCCUPERA DE VOTRE SUIVI DE GROSSESSE ?

Avant tout, il est recommandé de se renseigner et de réfléchir sur le type de praticien que vous désirez avoir à vos côtés tout au long des neuf mois et durant l'accouchement. Saviez-vous que la future maman peut choisir d'être suivie par un obstétricien-gynécologue, un omnipraticien (médecin de famille) ou une sage-femme ? Quel sera votre coup de cœur[1] ?

Les obstétriciens-gynécologues

Les obstétriciens-gynécologues assurent le suivi médical d'environ 60 % des accouchements dans les hôpitaux au Québec. Spécialisés en obstétrique, ils sont avant tout formés pour suivre les femmes enceintes qui vivent des complications dans les cliniques de grossesse à risque élevé (GARE). Néanmoins, ils peuvent suivre des femmes enceintes qui ne sont pas à risque.

Ils sont les seuls médecins à pouvoir procéder à une césarienne et, hormis exceptions, à pouvoir utiliser les forceps lors de la naissance d'un bébé. Ils sont consultants experts auprès des autres professionnels de la santé puisqu'ils possèdent une formation approfondie sur les complications de la grossesse et de l'accouchement.

Certains obstétriciens-gynécologues assurent leur présence à l'accouchement, mais cette situation est plutôt rare. Si vous choisissez un obstétricien-gynécologue qui travaille dans un centre universitaire ou en équipe, il se peut en effet que ce soit un de ses collègues, ou des résidents, qui accueillent votre enfant (supervisés par l'obstétricien-gynécologue de garde cette journée-là). Les résidents obstétriciens-gynécologues ont terminé leurs études postdoctorales en médecine. Ils complètent leur « résidence » avant d'amorcer leur pratique professionnelle en obstétrique et en gynécologie.

Les omnipraticiens (médecins de famille)

Les médecins de famille assurent le suivi de grossesse et d'accouchement d'environ 38 % des femmes qui donnent naissance dans les hôpitaux au Québec. Ils peuvent même parfois devenir le médecin de toute la famille, une fois le bébé né.

Ils suivent des femmes enceintes vivant une grossesse normale ou à risque plus ou moins élevé. Ils peuvent notamment prendre sous leur aile des femmes vivant des grossesses gémellaires (avec plus d'un bébé) ou souffrant de diabète et d'hypertension. Au besoin, ils se réfèrent aux obstétriciens-gynécologues des cliniques GARE pendant la grossesse ou l'accouchement.

Certains omnipraticiens garantissent leur présence à l'accouchement, mais la plupart d'entre eux travaillent en équipe avec leurs collègues. Des résidents en médecine familiale peuvent être présents durant l'accouchement.

Les sages-femmes

Les sages-femmes assurent le suivi de grossesse de moins de 2 % des femmes enceintes au Québec dans une maison de naissance, au domicile des parents ou à l'hôpital.

Hormis les femmes enceintes ayant un diabète de grossesse non insulinodépendant ou celles qui tentent un accouchement vaginal après une césarienne (AVAC), les sages-femmes doivent suivre des femmes dont la grossesse est sans complications et qui sont enceintes d'un seul bébé.

Leur formation universitaire est axée sur l'accouchement naturel (sans péridurale) et la détection de complications de grossesse ou d'accouchement nécessitant un transfert en milieu hospitalier. Elles possèdent la formation, l'équipement et les médicaments nécessaires pour affronter certaines urgences (ex. : la détresse respiratoire du nouveau-né et l'hémorragie post-partum), ainsi que pour stabiliser la situation dans l'attente d'un éventuel transfert à l'hôpital.

Les sages-femmes travaillent généralement en équipe de deux, et la mère donnera naissance à son enfant avec sa sage-femme attitrée ou sa remplaçante (si l'accouchement se produit un jour où la sage-femme attitrée n'est pas de garde).

PRENDRE RENDEZ-VOUS AVEC UN PROFESSIONNEL DE LA SANTÉ

Dès que votre choix sera établi, il est recommandé de prendre rapidement rendez-vous avec un obstétricien-gynécologue, un omnipraticien (médecin de famille) ou une sage-femme. Pour vous aider à dénicher la perle rare, qui correspond à vos besoins, vous pouvez demander des références à votre médecin de famille, à une amie ayant déjà accouché ou à une accompagnante à la naissance (voir la page 49).

Si vous tenez à ce que votre obstétricien-gynécologue ou votre médecin de famille habituel soit présent lors de votre accouchement, vous devrez le suivre dans l'établissement de santé où il travaille. Toutefois, avant de prendre une telle décision, vérifiez le protocole de son hôpital (voir la page 51) et demandez-lui s'il peut vous assurer ou non de sa présence à l'accouchement. De nos jours, la plupart des médecins travaillent en équipe et ne peuvent pas garantir leur présence à un accouchement.

La lecture de cet ouvrage, la participation à des cours prénataux et la préparation d'un plan de naissance (voir la page 52) vous donneront des outils pour communiquer efficacement vos besoins aux membres du corps hospitalier, que vous les connaissiez ou pas, avant et pendant la naissance de votre enfant.

À savoir : Il est souhaitable de commencer vos recherches pendant la période de préconception, ou dès que votre test de grossesse est positif. Vous mettrez ainsi toutes les chances de votre côté pour avoir un rendez-vous avec le professionnel de la santé de votre choix.

ACCOUCHER À L'HÔPITAL OU DANS UNE MAISON DE NAISSANCE ?

Le lieu de naissance aura une influence sur votre bien-être pendant l'accouchement. Il est important que vous vous y sentiez en sécurité, en confiance et à l'aise. Des études ont déjà démontré que pour des femmes en santé, dont la grossesse se déroule normalement, la sécurité est la même quel que soit le lieu de naissance. L'hôpital, la maison de naissance et la maison des parents comportent leurs propres avantages et inconvénients en ce qui a trait à l'accouchement. En fonction de vos besoins, quel sera votre choix ?

Question de parents

Peut-on limiter la présence de résidents en salle d'accouchement ?

Si vous avez choisi un hôpital universitaire, il est fort probable que vous rencontriez des résidents en médecine, lesquels ont toutes les compétences nécessaires pour assurer un suivi médical de qualité. Leur présence est importante puisqu'ils assureront la relève des professionnels de la santé. Vous pouvez demander qu'on limite le nombre de résidents par quart de travail à un seul à la fois, s'il n'y a pas de complications. Selon l'Association pour la santé publique du Québec (ASPQ), les femmes enceintes ont le droit de demander qu'on limite le nombre de personnes présentes lors de la naissance de leur enfant (proches et intervenants nécessaires seulement) et d'exiger de ne pas être dérangées, selon leurs besoins de repos ou d'intimité, par les routines de l'établissement. Une accompagnante à la naissance peut vous aider, au moment de l'accouchement, à transmettre vos demandes avec tact au personnel.

Il faut choisir un médecin affilié à notre Centre de santé et de services sociaux (CSSS) pour le suivi de grossesse.

Selon un dépliant publié par l'ASPQ, les femmes enceintes sont libres de choisir le professionnel qui les suivra durant la grossesse[2]. Il arrive que certaines futures mamans rencontrent un médecin ou une sage-femme, établis ou pas dans leur quartier, avant de déterminer leur choix final.

À l'hôpital

- Plus de 98 % des accouchements au Québec se déroulent dans ce type d'établissement.
- Tous les hôpitaux disposent de technologies et de salles d'opération pour la prise en charge de complications d'accouchement, comme la césarienne. Certains établissements disposent aussi d'un service de néonatologie pour les accouchements prématurés et autres complications néonatales. La néonatologie est une spécialité médicale qui étudie le fœtus et le nouveau-né avant, pendant et après la naissance.
- Si les mères se sentent incapables de faire face à la douleur pendant le travail, elles ont la possibilité d'être soulagées par une analgésie péridurale (voir la page 63).
- En cas de complications durant l'accouchement, les mères sont déjà hospitalisées.
- Certaines mères se sentent rassurées d'être dans un établissement hospitalier pour vivre leur accouchement.

Dans les maisons de naissance ou la maison des parents

- Moins de 2 % des accouchements se déroulent dans les maisons de naissance ou la maison des parents.
- En moyenne, une sage-femme effectue une quarantaine d'accouchements par année (pour comparaison : un médecin fait de 50 à 500 accouchements par année), et assiste une collègue pour une quarantaine d'autres accouchements.
- Les parents bénéficient d'une chambre qui ressemble à celle d'une maison ; ils se retrouvent dans un climat d'intimité lors de l'accouchement. Certaines mères s'y sentent particulièrement en sécurité.
- Les mères ne peuvent pas recevoir d'analgésie péridurale, mais elles peuvent bénéficier d'installations particulières, comme des bains, pour tenter d'accoucher dans l'eau (si tel est leur désir).
- Lors de complications plus ou moins graves ou d'un besoin de recevoir une analgésie péridurale en cours d'accouchement, les mères et les bébés sont transfé-rés dans un centre hospitalier déjà établi. Ce transfert vers un environnement inconnu peut être une source de stress supplémentaire. Toutefois, dans une telle situation, leur sage-femme les accompagnera pour les rassurer.

L'ACCOMPAGNANTE À LA NAISSANCE : UN RÔLE DIFFÉRENT DE CELUI DE LA SAGE-FEMME OU DU PÈRE

Depuis plus de 30 ans, au Québec, cette professionnelle de la périnatalité assure une présence rassurante auprès des parents qui sont suivis par un médecin ou une sage-femme. Elle les accompagne tout au long de la grossesse, de l'accouchement (généralement à l'hôpital) et de la période postnatale.

Contrairement à la sage-femme, elle ne procède à aucun acte médical. Elle apporte surtout un soutien informatif et émotif aux parents. En plus des services qu'elle leur fournit, elle met à leur disposition une écoute téléphonique à toute heure de la journée et de la nuit pour répondre à leurs questions et les rassurer s'ils ont des inquiétudes. Elle n'effectue aucun suivi médical, mais sait les rediriger vers leur médecin ou leur sage-femme, au besoin.

Puisqu'elle assiste à plusieurs accouchements par année et qu'elle a établi des relations avec des médecins et des sages-femmes, l'accompagnante à la naissance peut aider les parents à trouver un professionnel de la santé en début de grossesse. Elle peut ensuite les rencontrer individuellement au sein de leur maison ou en petits groupes, à quelques reprises, pour animer des cours prénataux personnalisés et adaptés à leurs besoins. Elle peut aborder des notions approfondies sur la grossesse telles que les interventions médicales, les protocoles hospitaliers, le plan de naissance (les aider à le rédiger, par exemple), les signes du début de travail, les positions confortables pendant les contractions, les exercices pour alléger la douleur, l'allaitement, le *baby blues,* etc. Elle prend toujours le temps de répondre à leurs questions,

Faire équipe pendant la grossesse et l'accouchement

I l a été démontré que, parmi toutes les mesures de confort existantes, le soutien continu d'une personne aimante et compétente est un facteur qui réduit les interventions obstétricales, améliore la satisfaction de la mère et la santé du bébé à la naissance. Les pères peuvent assumer ce rôle.

D'autres études démontrent qu'un père qui sait comment soutenir sa partenaire se sent utile et compétent, a une perception plus positive de lui-même et de sa partenaire, ce qui renforce son lien avec la mère et le bébé. Il est recommandé d'entamer le dialogue dans le couple pour discuter des émotions de chacun face à la naissance, des besoins, des peurs et des attentes de l'un envers l'autre.

Il est aussi primordial d'identifier la nature du rôle du père pour que la préparation se fasse en ce sens. Au besoin, le père peut être soutenu par une accompagnante à la naissance (voir la page 49). La préparation reste un élément fondamental afin que le père, peu importe le degré de participation envisagé, se sente outillé pour vivre de manière satisfaisante l'événement de la naissance. Par exemple, durant la grossesse, il peut accompagner la mère lors de ses visites médicales et assister à des cours prénataux avec elle. Il peut aussi apprendre des techniques pour contribuer à soulager la douleur de ses contractions (des massages, par exemple)[3].

J. B. et M. B.

dont celles d'ordre plus intime, et tisse un lien de confiance avec eux.

Une fois le travail amorcé, l'accompagnante peut répondre aux questions des parents par téléphone avant leur départ pour le lieu de naissance. Elle les rejoindra habituellement pendant la phase active (voir la page 137) lorsqu'ils sont admis en salle d'accouchement. Elle peut alors leur rappeler les notions importantes de la préparation à l'accouchement, qu'ils peuvent oublier dans le feu de l'action, les rassurer s'ils se montrent nerveux ou émotifs, et répondre à leurs questions. Elle peut aussi encourager la mère dans ses efforts, l'amener à se détendre, lui conseiller des positions favorisant la descente de son bébé et l'aider à apprivoiser la douleur, avec ou sans analgésie péridurale.

En aucun temps, l'accompagnante à la naissance ne prend la place du père. Elle guide plutôt ce dernier pour qu'il ait un rôle proactif auprès de sa conjointe, s'il le

désire. Par exemple, elle peut l'assister dans les respirations, les massages et les points d'acupression à pratiquer avec sa partenaire (voir la page 101). Elle peut aussi lui permettre d'aller marcher à l'extérieur de l'hôpital pour s'aérer l'esprit, de se reposer ou de manger (les odeurs pouvant perturber la mère) en toute quiétude. Ce type de soutien accorde quelques instants de répit au père pendant l'accouchement. Avec tact envers le corps hospitalier, elle veille à ce que l'intimité des parents soit sauvegardée et que leur plan de naissance soit respecté, dans la mesure du possible.

Dès que le bébé est né, l'accompagnante peut, entre autres, assister les parents pour une première mise au sein à l'hôpital, et ce, peu importe l'issue de l'accouchement. Elle s'adapte encore à leurs besoins. Par exemple, à la suite d'une césarienne, elle peut guider le père lors d'un premier contact peau à peau avec son bébé s'il doit attendre que la mère sorte de la salle de réveil. Lors de leur retour à la maison, elle peut finalement aller les visiter les jours et semaines suivant la naissance, à une ou deux reprises. Pendant ces rencontres, elle discute avec les parents de leur expérience d'accouchement. Elle les conseille aussi par rapport à des problèmes potentiels comme l'allaitement, les coliques, le sommeil du bébé, la fatigue, etc.

À savoir : Si vous désirez avoir recours aux services d'une accompagnante à la naissance, il est conseillé de la rencontrer au préalable pour vérifier votre chimie avec elle, mais aussi son bagage d'études et d'expériences. Privilégiez les intervenantes qui ont une formation approfondie de plus de 1000 heures dans le domaine de la périnatalité. Au centre de maternité Mère et monde, toutes les intervenantes possèdent une telle formation. Notez également que l'accompagnante soutient tant les parents qui attendent un enfant pour la première fois que ceux qui en ont déjà un, voire plusieurs.

UN PROTOCOLE HOSPITALIER, ÇA SERT À QUOI ?

Dans le but d'assurer la santé de leurs patientes et d'uniformiser le travail de leur personnel, chacun des départements de maternité des hôpitaux dispose d'un protocole particulier en matière d'accouchement. Par exemple, certains hôpitaux ont recours au monitorage fœtal électronique (voir la page 54), alors que d'autres proposent l'auscultation fœtale intermittente (voir la page 55), deux méthodes différentes pour surveiller le cœur du bébé. Quelques hôpitaux sont accrédités Amis des bébés de l'UNICEF et de l'Organisation mondiale de la santé (OMS) (pour favoriser l'allaitement maternel), et d'autres pas. Informez-vous dès maintenant auprès de votre médecin ou d'une accompagnante à la naissance au sujet du protocole et de la philosophie de votre hôpital en matière de soins. Vous constaterez que ces derniers évoluent constamment.

Si vous désirez mieux connaître l'ambiance de l'établissement que vous avez choisi, vous pouvez aussi vous inscrire à une visite de son département de maternité.

Question de parents

Comment les accompagnantes à la naissance sont-elles perçues par le corps médical ?

Au Centre de maternité Mère et monde, on constate que de plus en plus de médecins orientent certaines de leurs patientes vers ses accompagnantes à la naissance, notamment pour les aider à rédiger un plan de naissance et pour mieux les préparer à gérer le stress de l'accouchement, ce qui peut leur faciliter la tâche. L'accompagnante complète aussi le travail des infirmières pendant l'accouchement, sans toutefois faire de gestes d'ordre médical. Elle aide les parents à se détendre, notamment par l'entremise de techniques de respiration, de massages, d'exercices sur un ballon de naissance, et en leur suggérant des positions d'accouchement. D'ailleurs, une importante étude a montré que sa présence pendant l'accouchement diminuait de 50 % le taux de césariennes, de 25 % la durée du travail, de 60 % le recours à une péridurale, de 40 % l'utilisation d'ocytociques et de 30 % celle des forceps[4].

Prenez rendez-vous tôt dans la grossesse puisque les places sont limitées. Lors de la visite, vous pourrez poser vos questions et ensuite rédiger votre plan de naissance (voir la page 81) si vous le désirez.

UN PLAN DE NAISSANCE, ÇA SERT À QUOI ?

À partir de la page 54, les avantages et inconvénients des interventions médicales comme la péridurale et la césarienne vous seront présentés, ainsi que les positions de l'OMS et de la SOGC par rapport à celles-ci. Votre lecture vous permettra d'entamer en couple la communication à ce sujet et vous amènera à vous questionner sur les soins que vous voulez recevoir lors de la naissance de votre enfant. En fonction de vos choix, le plan de naissance vous permettra ensuite de communiquer vos besoins, dans la mesure du possible, aux professionnels de la santé. Chaque couple a des préférences et des attentes différentes, et les professionnels de la santé ne peuvent pas les deviner. Il est donc de votre ressort de les leur communiquer avant l'accouchement.

Vous pouvez entamer la discussion avec votre médecin en ce sens au cours du deuxième trimestre, en lui présentant votre plan de naissance (voir la page 81). Vous mettrez ainsi toutes les chances de votre côté pour vous sentir en confiance, développer une complicité avec le personnel hospitalier et faire de l'accouchement une expérience satisfaisante.

Pour rédiger un tel plan, il est important de connaître le protocole de l'hôpital où vous allez accoucher (voir la page 83). Il est possible que vos choix personnels et les positions de l'OMS et de la SOGC diffèrent quelque peu du protocole de votre établissement. Par l'entremise du plan de naissance, vous pourrez faire valoir, auprès des professionnels de la santé, les interventions médicales que vous voulez privilégier ou éviter, dans la mesure du possible, ainsi que les options différentes en matière d'accouchement. Vous pourrez communiquer des demandes spéciales en cas d'imprévus, comme la prématurité.

Il est évidemment possible que certaines de vos demandes ne soient pas respectées à la lettre ; les professionnels de la santé peuvent choisir d'en tenir compte ou pas. Dans le cadre de certaines demandes particulières qui pourraient affecter la santé de la mère et celle du bébé, ils peuvent aussi vous demander de signer un refus de traitement lors de l'accouchement.

Pour mettre toutes les chances de votre côté, demandez à votre médecin d'inclure une copie de votre plan de nais-

Question de parents

Comment le plan de naissance est-il perçu par le corps médical ?

De nos jours, les parents et les médecins portent un intérêt grandissant au plan de naissance. Puisqu'un nombre considérable d'hôpitaux du pays sont universitaires et que la plupart des médecins n'assurent pas leur présence à l'accouchement, le plan de naissance se présente comme un outil qui permet d'établir un lien rapide entre les parents et les différents professionnels de la santé présents à l'accouchement.

En lisant votre plan de naissance au cours de votre grossesse, le médecin peut mieux connaître vos besoins et s'assurer que vous serez suffisamment préparés, en vue de la naissance de votre enfant. D'ailleurs, un nombre croissant d'hôpitaux proposent leur propre modèle de plan de naissance aux futurs parents.

Puis-je changer de médecin en cours de grossesse ?

Après avoir lu les pages qui suivent, si vous constatez que le protocole de votre établissement de santé et la philosophie de votre médecin ne rejoignent pas vos valeurs, il sera possible de changer de médecin et de lieu d'accouchement.

D'ailleurs, selon un dépliant publié par l'ASPQ, les femmes enceintes sont libres de changer de médecin traitant pour leur suivi à n'importe quel moment durant leur grossesse[5]. Toutefois, étant donné la pénurie de médecins au pays, il peut s'avérer difficile d'en trouver un nouveau. Si vous n'y arrivez pas, vous pourrez rédiger un plan de naissance pour faire valoir vos besoins. Lors de l'accouchement, une accompagnante à la naissance pourrait aussi vous assister pour ouvrir avec tact le dialogue avec le corps hospitalier, et tenter de faire respecter vos demandes, dans la mesure du possible.

sance dans votre dossier médical avant votre date prévue d'accouchement (DPA). Il est aussi conseillé d'en remettre une copie au bureau d'accueil de la maternité à votre arrivée à l'hôpital, le jour de l'accouchement. Insérez deux autres copies dans la valise en vue du jour J (une copie pour le conjoint et une pour l'accompagnante à la naissance s'il y a lieu). Par ailleurs, il se peut que vous ne ressentiez pas le besoin de rédiger un plan de naissance. Cette décision vous appartient.

Les droits des femmes enceintes

L'ASPQ a publié *Grossesse et accouchement, droits des femmes*, un document qui mentionne notamment les points suivants[6].

Les femmes enceintes ont le droit :
- d'être informées des limites et des effets indésirables des médicaments et des interventions suggérés ;
- de vivre le travail et la naissance de leur bébé à leur rythme, sans subir d'intervention qu'elles ne souhaitent pas ;
- de boire et de manger en tout temps ;
- de bouger et d'accoucher dans la position qui leur convient ;
- de limiter le nombre de personnes présentes lors de la naissance de leur enfant (proches et intervenants nécessaires seulement) ;
- d'allaiter leur bébé à la demande et d'exiger qu'aucun supplément ne lui soit donné ;
- d'exiger de ne pas être dérangées, selon leurs besoins de repos ou d'intimité, par les routines de l'établissement.

D'autres droits sont reconnus à la femme au moment de la grossesse et de l'accouchement. Afin de mieux alimenter votre réflexion au sujet de l'accouchement et d'ouvrir la communication avec votre médecin, vous pouvez télécharger le document en question sur le site Internet de l'ASPQ.

LES INTERVENTIONS MÉDICALES QUI PEUVENT VOUS ÊTRE PROPOSÉES PENDANT L'ACCOUCHEMENT

Pour vous aider à préparer un plan de naissance ou alimenter votre réflexion, voici les principales interventions médicales que les professionnels de la santé peuvent vous proposer tout au long de l'accouchement, ainsi que les positions de l'OMS et de la SOGC à leur sujet.

Le protocole d'admission à l'hôpital

Avant de vous informer sur les interventions médicales proposées tout au long de l'accouchement, il est souhaitable de vous renseigner sur le protocole d'admission de votre hôpital, qui peut différer d'un établissement à l'autre. Renseignez-vous à ce sujet auprès de votre médecin ou visitez la maternité où vous prévoyez accoucher. Un membre de l'équipe médicale pourrait notamment :

- poser des questions à la mère entre les contractions (ex.: l'heure où elles ont commencé, leur fréquence et leur durée [voir la page 129]);

- prendre les signes vitaux de la mère, comme la tension artérielle;
- effectuer un toucher vaginal pour évaluer la dilatation du col utérin et avoir une idée de la progression du bébé dans le bassin de la mère depuis son dernier rendez-vous chez son médecin (voir la page 120);
- à moins que l'accouchement ne soit imminent, diriger le conjoint ou la personne accompagnatrice vers le bureau des admissions de l'hôpital pour remplir les papiers administratifs.

1. Le monitorage fœtal électronique

Deux capteurs sont attachés au ventre de la mère avec des courroies. L'un surveille les battements de cœur du bébé et l'autre, la durée et l'intensité des contractions. L'appareil fournit l'information sous forme d'un tracé continu que peuvent consulter les infirmières, les médecins ou les résidents. Dans la plupart des hôpitaux, la mère est surveillée pendant 20 minutes lors de son admission et, si tout va bien, chaque heure pendant 15 à 20 minutes.

Une fois la mère sous analgésie péridurale, ou si une complication survient en cours de travail (ex.: irrégularité du cœur fœtal ou utilisation d'un médicament pour déclencher ou accélérer les contractions), le monitorage électronique peut s'avérer nécessaire sur une base plus longue ou continue[7]. En présence d'un tracé inquiétant, la SOGC recommande d'y ajouter l'analyse de quelques gouttes de sang prélevées sur le cuir chevelu du bébé et de répéter cet examen toutes les 30 minutes[8].

Pourquoi ?

Cette procédure permet de vérifier le bien-être fœtal et renseigne sur la durée et la fréquence des contractions.

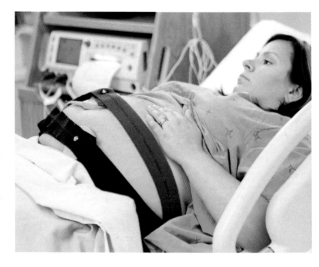

Inconvénients

- La compression des courroies sur le ventre de la mère et l'immobilité que nécessite l'examen peuvent accentuer la douleur des contractions utérines.
- Pendant la surveillance fœtale, la mobilité de la mère est réduite, ce qui peut ralentir le travail, dans certains cas.

À savoir : S'il n'y a pas de contre-indications médicales à ce que la mère adopte des positions verticales, mettant à profit la gravité (voir la page 146), elle peut demander, dans son plan de naissance, à être surveillée dans la position de son choix pour favoriser la descente de son bébé dans le bassin (ex. : assise sur un ballon plutôt que couchée sur le lit). Elle se sentira ainsi plus à l'aise ; la position couchée est souvent inconfortable et plus douloureuse pour la mère en travail.

2. L'auscultation fœtale intermittente

Un nombre croissant d'hôpitaux du pays sont équipés de Dopplers obstétricaux utilisant des ultrasons. L'appareil, placé sur l'abdomen de la mère, permet de surveiller les battements de cœur du bébé dans la position désirée ou dans le bain. Les professionnels de la santé peuvent écouter le cœur du bébé après une contraction, pendant une minute, à raison de deux à quatre fois par heure. Durant l'expulsion du bébé, ils vérifient le cœur fœtal toutes les cinq minutes[9].

Pourquoi ?

L'auscultation intermittente permet une surveillance sécuritaire du cœur fœtal lors d'accouchements à faible risque et sans complications, tout en augmentant le confort de la mère. Elle lui permet d'adopter plus facilement des positions verticales mettant à profit la gravité

(voir la page 146), et de se déplacer, au cours du travail. Cette pratique facilite la descente du bébé dans son bassin. Toutefois, l'auscultation fœtale intermittente ne peut pas être utilisée s'il y a des complications ou lors de l'administration de médicaments comme la péridurale (voir la page 63).

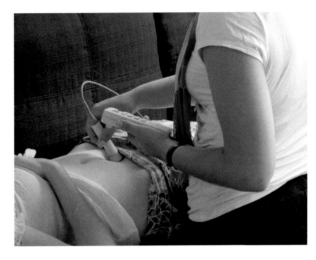

Inconvénient

Elle ne permet pas de mesurer la durée et la fréquence des contractions.

de l'accompagnante

Prêter attention à la mère avant tout

La surveillance du bien-être fœtal est nécessaire pendant l'accouchement. Toutefois, les mères n'apprécient généralement pas que leur conjoint prête davantage attention au tracé du monitorage ou à un téléphone intelligent qu'à la douleur qu'elles ressentent. Sylvie Thibault se souvient d'un accouchement en particulier où, alors que le père devait s'absenter de la chambre pendant quelques minutes, au lieu de lui demander de prêter attention à sa conjointe, il lui a mentionné de surveiller le tracé du monitorage.

À savoir : Si votre hôpital n'offre pas l'auscultation fœtale intermittente à l'ensemble des patientes admissibles, vous pouvez demander qu'elle soit effectuée si vous êtes dans le bain et désirez y rester plus longtemps parce que vous y êtes à l'aise.

La position de l'OMS

Le monitorage fœtal électronique est une pratique fréquemment utilisée à tort. Il convient plutôt d'encourager la surveillance fœtale avec auscultation intermittente dans le cas d'accouchements à faible risque et sans complications[10].

La position de la SOGC

Il est préférable d'effectuer la surveillance fœtale de façon intermittente, en utilisant des méthodes qui ne gênent pas les mouvements. Cependant, dans certaines circonstances et si c'est réellement nécessaire, il faut effectuer une surveillance fœtale constante en utilisant des moniteurs de surveillance continue[11].

Le monitorage interne

Il arrive parfois que le personnel hospitalier ait de la difficulté à surveiller le bien-être fœtal avec un capteur externe. Par une électrode fixée sur le cuir chevelu du bébé, le monitorage interne permet de surveiller le cœur fœtal. Si la mère n'a pas « crevé ses eaux » naturellement, un professionnel de la santé devra les rompre de manière artificielle (voir *L'amniotomie* à la page 59).

3. Le soluté

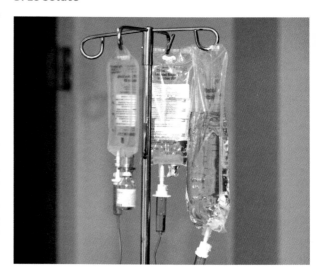

Dans quelques hôpitaux, une perfusion intraveineuse est installée de manière systématique lors de l'admission de la mère, bien que cette pratique soit de plus en plus rare. Le soluté en question est administré par l'entremise d'un cathéter (fin tube destiné à injecter, directement dans une veine de l'avant-bras, une solution et éventuellement un médicament). Il est relié à une réserve de solution contenue dans une poche en plastique.

Certaines mères vont accepter d'emblée cette intervention médicale. D'autres, qui envisagent de soulager éventuellement leur douleur avec la péridurale (voir la page 63), demandent que seul le cathéter, sans le soluté, soit installé lors de leur admission à l'hôpital. Elles préfèrent que le soluté soit installé seulement au moment où elles en auront besoin. Finalement, quelques mères dont l'accouchement se déroule sans complications et sans péridurale refusent le cathéter et le soluté, tout au long de leur accouchement.

Pourquoi ?

Le soluté est utilisé pour éviter une déshydratation, notamment lorsque la mère vomit tous les liquides ou aliments qu'elle a ingérés, ou pour contrer un épuisement causé par un manque de nourriture.

En vue de l'administration d'une péridurale, il prévient une chute de tension artérielle potentielle de la mère, qui peut entraîner une chute temporaire des battements cardiaques du bébé.

Il permet aussi d'administrer certains médicaments comme des antibiotiques ou des hormones de synthèse, telle l'ocytocine synthétisée (voir la page 60).

Inconvénients

- Le fait de ne pas manger pendant l'accouchement peut causer une faiblesse au niveau énergétique, et la mère peut se sentir moins en forme. Toutefois, si elle n'a pas le choix de se faire administrer un soluté (ex. : pour recevoir un antibiotique), cela ne l'empêchera pas pour autant de manger légèrement et de boire.

- Il limite la liberté de mouvement et la variété de positions possibles, ce qui peut ralentir le travail, et donne davantage l'impression à la mère d'être malade.
- Il peut augmenter l'œdème chez la mère et le bébé.

Autres options

Boire et manger pendant le travail. Plusieurs hôpitaux permettent aux mères de boire et de manger légèrement plutôt que d'installer un soluté. Pour éviter la déshydratation, il est toutefois important que la mère boive de l'eau, du jus ou qu'elle suce de la glace tout au long de l'accouchement.

En mangeant légèrement, la mère répond à sa faim. Elle se sent plus en forme pendant son accouchement et cela peut l'aider à maintenir son niveau d'énergie.

En cas de césarienne d'urgence, s'il y a anesthésie générale, il peut y avoir un infime risque que la mère aspire le contenu de son estomac dans ses poumons (syndrome de Mendelson). Cependant, la très grande majorité

Question de parents

Que devons-nous mettre dans la boîte à lunch en vue de l'accouchement ?

La mère est encouragée à boire et à manger à sa convenance tout au long du travail, en l'absence de facteurs de risque. Pour s'assurer qu'elle demeure bien hydratée et conserve ses forces, il est utile d'apporter une boîte à lunch à l'hôpital.

Côté hydratation, privilégiez l'eau, les boissons pour sportifs, les jus de fruits dilués et les bouillons.

Côté aliments, il est suggéré de manger des aliments légers et frais, au goût peu prononcé. Misez sur les aliments qui contiennent des glucides, comme les fruits (ex. : bananes, fraises, cantaloups coupés en petits morceaux, fruits secs, compotes, etc.), les craquelins ou muffins maison, ainsi que sur ceux qui contiennent un peu de protéines (ex. : yogourt,

morceaux de fromage, verre de lait ou pouding de tapioca), qui fourniront au corps l'énergie dont il a besoin pour se rendre jusqu'à la fin.

Pour prévenir les nausées, ne consommez pas trop de produits laitiers. Évitez aussi les aliments très sucrés comme les bonbons, qui donnent un regain de courte durée suivi d'une chute d'énergie, les aliments gras et épicés, ainsi que les boissons gazeuses, les boissons énergisantes et le café. Si la faim n'est pas au rendez-vous ou que des nausées se font sentir, la mère peut boire de petites gorgées de boisson pour sportifs afin de rester hydratée et de fournir à son corps une bonne dose de glucides.

**Il faut être à jeun
pendant un accouchement.**

Aujourd'hui, un nombre croissant d'hôpitaux ne proposent plus le soluté de manière systématique lors de l'admission des parents. Toutefois, dans certaines situations médicales, le soluté peut s'avérer davantage indiqué que boire et manger.

des mères sont anesthésiées avec une péridurale (voir la page 63) ou une rachidienne (anesthésie à action plus rapide, plus forte et d'une durée moins longue que la péridurale) lors d'une césarienne.

À savoir : Pour détourner l'attention de la douleur et se rafraîchir en cours de travail, les mères aiment généralement sucer une glace aux fruits maison ou croquer des raisins congelés.

La position de l'OMS

La perfusion intraveineuse systématique pendant le travail est une pratique qu'il convient d'éliminer. On interdit fréquemment à tort aux mères d'absorber des aliments et des liquides pendant le travail[12].

La position de la SOGC

La mère peut manger et boire en petites quantités, au début du travail, pour éviter qu'elle se déshydrate et pour qu'elle conserve ses forces. En phase active, il est recommandé qu'elle boive seulement des liquides clairs. Dans certaines situations à risque, il peut être indiqué de ne pas boire ni manger[13].

À noter que la plupart des hôpitaux mettent à la disposition des parents un réfrigérateur et un congélateur dans une cuisine commune, au sein de la maternité. Prenez soin d'indiquer votre nom, votre numéro de chambre et votre numéro de téléphone sur votre boîte à lunch. Vérifiez aussi si vous aurez accès à un four à micro-ondes durant l'accouchement (voir l'encadré Info nutrition à la page 57).

4. L'amniotomie

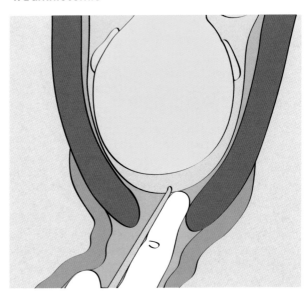

Durant l'amniotomie (rupture artificielle des membranes [RAM]), le professionnel de la santé introduit deux doigts dans le col de l'utérus de la mère jusqu'à ce qu'il touche aux membranes amniotiques. Il y fait pénétrer un crochet et perce les membranes avec le bout de cet instrument. Lorsque la poche se rompt, la mère sent le liquide amniotique s'écouler. Elle ne ressent généralement pas de douleur.

Pourquoi ?

On procède à l'amniotomie pour installer un monitorage fœtal interne sur le cuir chevelu du bébé, pour déclencher le travail, en association (ou pas) avec d'autres moyens ou pour stimuler le travail s'il n'y a pas beaucoup d'évolution, mais que le bébé est fixé dans le bassin (voir la page 121).

Le fait de rompre la poche des eaux permet de libérer des prostaglandines pour la maturation du col utérin.

L'amniotomie permet aussi l'expulsion du bébé à l'hôpital lors de la dilatation complète (si la poche des eaux ne s'est pas rompue naturellement).

À savoir : En maison de naissance, le bébé peut naître la tête « coiffée », c'est-à-dire sans que les membranes amniotiques soient rompues.

Inconvénients

- La poche des eaux protège le bébé contre les infections. Si celle-ci est rompue et qu'il n'y a pas de contractions, durant quelques heures ou s'il y a des risques d'infection (ex. : fièvre), les médecins peuvent administrer à la mère un antibiotique pour prévenir les risques d'infection ou une hormone de synthèse, comme l'ocytocine synthétisée, par intraveineuse pour activer le travail. Ces mesures ont pour but de prévenir les risques d'infection.
- La poche des eaux protège contre les pressions exercées à chaque contraction, faisant tampon. Une fois qu'elle est rompue, la douleur des contractions pourrait augmenter.
- Si la tête du bébé n'est pas fixée dans le bassin (voir la page 121), l'amniotomie n'est pas indiquée, car elle peut augmenter le risque de procidence du cordon (le cordon ombilical précède la descente du bébé lorsque la poche des « eaux » est rompue), privant ainsi le bébé d'oxygène, et occasionner une césarienne d'urgence.

Autres options

Donner plutôt l'occasion à la mère de se détendre, de stimuler ses mamelons, de marcher, de faire des exercices sur un ballon (voir la page 135), et d'adopter des positions verticales qui mettent à profit la gravité (voir la page 146), gestes qui favorisent les contractions utérines de manière naturelle.

La position de l'OMS

L'amniotomie précoce systématique pendant le premier stade du travail est une pratique qu'il faut utiliser avec précaution. Il convient plutôt d'encourager la liberté de choisir des positions verticales, qui mettent à profit la gravité, et des mouvements qui peuvent favoriser le travail, dont l'efficacité a été démontrée[14].

La position de la SOGC

S'il faut déclencher le travail à la fin de la 41e semaine de grossesse, ou s'il y a des problèmes médicaux, une rupture artificielle des membranes devrait être réservée aux femmes qui ont un col favorable[15, 16]. Si le travail progresse trop lentement, le fournisseur de soins de santé peut suggérer de rompre les membranes ou d'injecter de l'ocytocine par voie intraveineuse[17]. Le fait de bouger légèrement contribue aussi à accélérer le travail[18].

5. La perfusion d'ocytocine synthétisée

L'ocytocine synthétisée (Pitocin® et Syntocinon®) est une hormone de synthèse qui sert à faire contracter le muscle utérin, à déclencher ou à accélérer le travail, tout comme l'ocytocine naturelle, une hormone libérée par l'hypothalamus du cerveau de la mère en travail. L'ocytocine synthétique est injectée dans une veine du bras de la mère par l'entremise d'un cathéter. Une pompe électronique contrôle l'administration de l'hormone de synthèse. Les professionnels de la santé l'administrent d'abord en faible dose, en surveillant le cœur fœtal de manière assidue, puis augmentent la dose graduellement. L'hormone doit être injectée tout au long de l'accouchement.

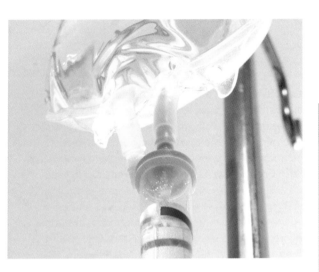

Pourquoi ?

Quelquefois combinée à l'amniotomie, cette intervention médicale peut être utilisée pour déclencher les contractions vers la fin de la 41e semaine de grossesse, ou lors de complications de grossesse comme la prééclampsie (une hypertension avec une perte de protéines dans l'urine).

On l'administre quand la mère a « crevé ses eaux », que le travail ne commence pas à l'intérieur d'un certain délai ou qu'il est lent et qu'il y a un risque d'infection (ex.: de la fièvre).

Elle sert à accélérer le travail lors d'accouchements qui durent depuis plusieurs heures, une fois que les moyens naturels ont échoué, et contribue à contrer les hémorragies post-partum.

Inconvénients

- Elle peut amener des contractions plus douloureuses, à intervalles rapprochés, et ce, dès le début du travail.
- Elle nécessite un soluté (voir la page 56) et un monitorage fœtal assidu (voir la page 54), ce qui augmente l'inconfort de la mère et limite sa mobilité.
- Elle peut empêcher l'utérus de se relâcher entre les contractions. Une détresse fœtale, c'est-à-dire une diminution de l'oxygénation du bébé, peut s'ensuivre.

Dans une telle situation, la césarienne peut être évitée si le professionnel de la santé arrête l'administration d'ocytocine synthétique.

La position de l'OMS

L'administration d'ocytocine synthétique durant tout l'accouchement, d'une façon que ses effets ne puissent être maîtrisés, est une pratique nocive ou inefficace qu'il convient d'éliminer. Cependant, l'administration d'ocytocine synthétique de manière systématique chez les femmes présentant un risque d'hémorragie de la délivrance est une pratique qui a démontré son efficacité et qu'il convient d'encourager, de même que la liberté de la mère de choisir sa position et de bouger pendant le travail[19].

La position de la SOGC

À la fin de la 41e semaine de grossesse, ou s'il y a des problèmes médicaux, l'administration de l'ocytocine synthétisée peut déclencher le travail si le col est favorable[20, 21]. Si le travail progresse trop lentement, le fournisseur de soins de santé peut suggérer de rompre les membranes ou d'injecter de l'ocytocine par intraveineuse[22]. Le fait de bouger légèrement contribue aussi à accélérer le travail[23].

Autres options

Donner l'occasion à la mère de se détendre, de stimuler ses mamelons, de marcher, de faire des exercices sur un ballon (voir la page 135) et d'adopter des positions verticales qui mettent à profit la gravité (voir la page 146), gestes qui favorisent les contractions utérines de manière naturelle.

À savoir : Saviez-vous que le fait de stimuler les mamelons de la mère permet de favoriser la sécrétion naturelle d'ocytocine ? Si vous n'êtes pas à l'aise avec l'idée de vous adonner à cette pratique à l'hôpital, sachez qu'une accompagnante à la naissance peut s'assurer que les rideaux et la porte de la chambre demeurent fermés, veillant sur votre intimité comme un ange gardien.

6. Les médicaments antidouleur

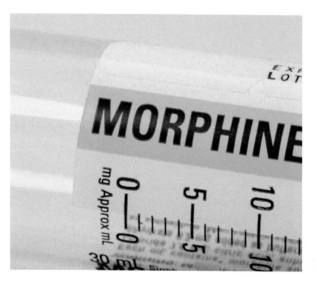

La plupart des médicaments antidouleur sont des narcotiques. Il s'agit habituellement de morphine ou de mépéridine (Demerol®). Ils sont administrés par injection intramusculaire ou intraveineuse pendant le travail.

Pourquoi ?
Ils servent à réduire la sensation de douleur.

Inconvénients
- Ils peuvent causer des étourdissements, de la somnolence, des nausées et donner l'impression à la mère d'être « droguée »[24].

- Selon les médicaments et le moment où ils sont administrés durant le travail, ils peuvent provoquer des décélérations cardiaques chez le bébé, le rendre plus somnolent à la naissance et engendrer des troubles de réflexes de succion et des troubles respiratoires qui peuvent compromettre les débuts de l'allaitement[25, 26].
- Selon le type de médicaments et le moment où ils sont administrés durant le travail, ils peuvent diminuer l'efficacité des contractions et réduire la participation de la mère pendant l'accouchement[27].

Autres options
Le soutien humain, le bain, la relaxation, les respirations, les positions d'accouchement, les massages, la musique relaxante, etc. (voir le cours 3).

La position de l'OMS

Traiter la douleur par des agents systémiques est une pratique fréquemment utilisée à tort. Les méthodes non pharmacologiques pour soulager la douleur pendant le travail (ex.: les massages et techniques de relaxation, ainsi que le respect du choix de la mère en ce qui concerne les gens présents pendant l'accouchement) ont démontré leur efficacité et il convient d'encourager leur pratique[28].

La position de la SOGC

Les médicaments antidouleur engourdissent la sensation de douleur sans toutefois l'éliminer[29]. Les techniques de respiration, de positionnement, ainsi que des douches et des bains peuvent réduire le stress chez la mère et favoriser la présence d'endorphines, une hormone naturelle qui produit une sensation de bien-être[30].

7. L'analgésie péridurale

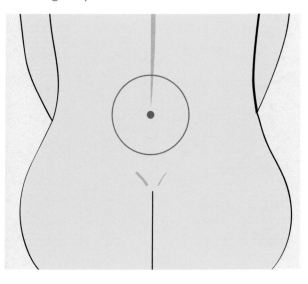

Après avoir effectué une anesthésie locale dans le bas du dos de la mère, au niveau des vertèbres lombaires, l'anesthésiste introduit un fin tuyau souple, le cathéter, dans l'espace péridural, à travers une aiguille. Ainsi, il sera possible d'injecter des produits analgésiants et anesthésiants en continu pendant toute la durée de l'accouchement. L'effet analgésique de la péridurale se fait sentir environ 10 à 30 minutes après la première injection et se poursuit habituellement tout au long de l'accouchement. L'analgésie s'étend à tous les faisceaux nerveux responsables de la transmission de signaux douloureux en provenance de l'utérus.

À savoir : La pose de la péridurale est automatiquement accompagnée d'une perfusion intraveineuse (voir la page 56) et d'un monitorage fœtal assidu (voir la page 54). Toutefois, la péridurale ne serait pas associée à une augmentation du taux de césariennes lorsqu'elle est administrée après 3 cm de dilatation du col utérin[31].

La position de l'OMS

Le traitement de la douleur par l'analgésie péridurale est une pratique fréquemment utilisée à tort. Les méthodes non pharmacologiques pour soulager la douleur pendant le travail (ex. : les massages et les techniques de relaxation, ainsi que le respect du choix de la mère en ce qui concerne les gens présents pendant l'accouchement) ont démontré leur efficacité et il convient d'encourager leur pratique[32].

La position de la SOGC

La péridurale légère ou mobile devrait être administrée de façon que la mère puisse continuer à avoir un certain contrôle sur ses jambes, à faire le travail dans différentes positions et à pouvoir aller aux toilettes. Ce type d'anesthésie est préférable parce que la mère peut mieux ressentir le besoin de pousser son enfant. Les techniques de respiration, de positionnement, ainsi que les bains et douches sont également des moyens qui peuvent réduire le stress chez la mère et favoriser la présence d'endorphines, une hormone naturelle qui produit une sensation de bien-être[33].

Pourquoi ?

L'analgésie péridurale soulage de manière généralement très efficace la douleur des contractions utérines. Elle permet à la mère de dormir avant la naissance de son enfant, notamment lors d'un accouchement qui dure depuis de nombreuses heures, ou lorsqu'elle se sent épuisée.

Lorsqu'elle est utilisée pour une césarienne, elle anesthésie la mère sans l'endormir.

Inconvénients

• En analgésiant les nerfs sensitifs pour amoindrir la douleur, la péridurale atteint aussi les nerfs moteurs, ce

Est-ce possible de recevoir une péridurale ambulatoire ?

La plupart des hôpitaux du Québec proposent une péridurale classique. Certains anesthésistes administrent des péridurales plus faiblement dosées, ce qui permet à la mère d'aller aux toilettes et d'adopter certaines positions dans le lit, tout en étant soutenue par une tierce personne. Peu de centres hospitaliers québécois proposent pour l'instant une analgésie péridurale pouvant être dosée et contrôlée par la mère elle-même (avec une pompe) ou une péridurale ambulatoire qui permet à la mère de marcher dans les couloirs de la maternité ou d'effectuer des exercices sur le ballon. La procédure est la même que pour la péridurale classique, mais des doses minimales sont employées, et les contractions peuvent être plus douloureuses[34].

qui peut diminuer les contractions utérines et affaiblir des muscles qui interviennent lors de l'accouchement, tel que le périnée profond. Cela diminue de plus le réflexe expulsif naturel (voir la page 141), ce qui peut allonger la période expulsive du travail et forcer le recours aux extractions instrumentales comme les forceps (voir les pages 66 et 67)[35].

- Elle peut occasionner des tremblements, des démangeaisons et une faiblesse musculaire des membres inférieurs.
- Elle peut engendrer une diminution temporaire de la tension artérielle chez la mère et de la fréquence cardiaque fœtale[36].
- Elle peut limiter la mobilité de la mère pendant le travail.
- Elle peut ouvrir la voie à la perfusion d'ocytocine synthétisée (voir la page 60)[37].
- Elle peut entraîner des nausées, des vomissements et des maux de tête pendant l'accouchement[38].
- Elle peut entraîner de la fièvre chez la mère[39].
- Si la mère ne sent plus son besoin d'uriner, elle est amenée à uriner quelquefois par l'entremise d'une sonde ou d'un cathéter vésical. Or, il est important qu'elle vide couramment sa vessie pendant le travail pour ne pas obstruer la descente du bébé dans son bassin.

À savoir : Certaines mères ne vivent aucun inconvénient lié à la péridurale. Parfois, la détente amenée par ce type d'analgésie favorise même la dilatation du col utérin.

La péridurale est contre-indiquée, par contre, chez les femmes ayant des troubles de coagulation ou une infection au dos. Certaines n'auront également pas le temps d'y avoir recours parce qu'elles seront prêtes à pousser leur bébé avant que l'anesthésiste ait eu le temps de l'effectuer. D'autres la recevront, mais son efficacité sera faible, ou l'analgésie n'agira que sur un seul côté de leur corps. Lors de la préparation prénatale, il est donc recommandé que les parents envisagent aussi des outils non pharmacologiques pour soulager la douleur des contractions (voir le cours 3).

Autres options

Le soutien humain, le bain, la relaxation, les respirations, les différentes positions d'accouchement, les massages, la musique relaxante, etc. (voir le cours 3).

Quels sont les effets de la péridurale chez le bébé ?

L'analgésie peut quelquefois rendre le bébé un peu plus irritable et moins éveillé à la naissance, allonger la durée de son repos récupérateur (voir la page 156), et faire en sorte que les débuts de l'allaitement soient plus difficiles.

8. La ventouse obstétricale

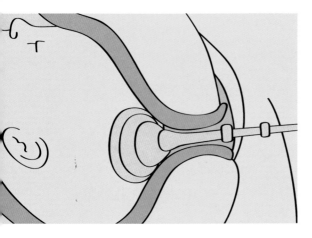

Il s'agit d'une ventouse en plastique souple qui est reliée à un appareil de succion. Elle exerce des tractions synchronisées avec les contractions utérines, ce qui facilite la descente du bébé dans le vagin. En la maintenant sur la tête du bébé, le médecin profite des poussées de la mère pour aider le bébé à naître.

Pourquoi ?

Les médecins ont recours à la ventouse lorsque la période d'expulsion s'étire et que la mère est fatiguée de pousser. Elle est aussi indiquée si la fréquence cardiaque du bébé tend à diminuer et s'il est en difficulté. La ventouse occupe moins d'espace dans le vagin que les forceps et ne nécessite pas toujours d'anesthésie locale. Par contre, si le bébé est encore haut dans le bassin, il est alors plus indiqué de pratiquer une césarienne.

Inconvénients

- Elle peut causer des blessures locales sur le périnée de la mère (mais moins que les forceps ; voir la page 66) et augmenter le risque de déchirure. Le périnée est un groupe de muscles et de ligaments qui ferment le petit bassin et qui s'étirent de l'os pubien jusqu'au coccyx.

La position de l'OMS

L'extraction instrumentale est une pratique fréquemment utilisée à tort. Par contre, choisir une position autre que celle dorsale pendant le travail est une pratique dont l'utilité peut être démontrée et qu'il convient d'encourager[40].

La position de la SOGC

Lorsque la mère ou le bébé présente des risques de complications, ou que le travail ne progresse pas normalement, une intervention médicale, par exemple le recours à des forceps, à la ventouse obstétricale ou à une césarienne, est nécessaire pendant l'accouchement[41].

- Elle peut abîmer les tissus mous du cuir chevelu du bébé et causer une bosse sérosanguine sur sa tête[42], qui disparaît généralement naturellement dans les semaines suivant l'accouchement.

À savoir : Des consultations en ostéopathie pourraient minimiser les impacts de la ventouse chez votre bébé.

Autres options

Il y a moyen de diminuer les risques d'un accouchement assisté en évitant la péridurale pour sentir davantage le réflexe naturel d'expulsion (voir la page 141). La mère peut aussi adopter des positions verticales, qui mettent à profit la gravité, présentées à la page 146.

9. Les forceps

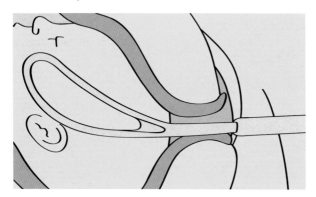

Constitué de deux cuillères métalliques, cet instrument vient embrasser les maxillaires du bébé (l'os en haut des joues). Lorsque les forceps sont en place, le médecin peut, à chaque contraction utérine, tirer doucement le bébé vers la sortie du vagin et permettre sa naissance. Une épisiotomie (voir la page 67) est souvent nécessaire pour pouvoir procéder à cette intervention médicale.

Pourquoi ?

Les médecins ont recours aux forceps lorsque la période d'expulsion s'allonge et que la mère est fatiguée de pousser. Cette procédure est aussi indiquée si la fréquence cardiaque du bébé tend à diminuer et s'il est en difficulté. De plus, cet instrument permet de faire faire une rotation à la tête du bébé. Toutefois, avant de l'utiliser, les médecins s'assurent que celui-ci peut naître facilement par voie naturelle. Autrement, la césarienne sera indiquée.

La position de l'OMS

L'extraction instrumentale est une pratique fréquemment utilisée à tort. Par contre, choisir une position autre que dorsale pendant le travail est une pratique dont l'utilité peut être démontrée et qu'il convient d'encourager[43].

La position de la SOGC

Lorsque la mère ou le bébé présente des risques ou que le travail ne progresse pas normalement, une intervention médicale, par exemple le recours à des forceps, à la ventouse obstétricale ou à une césarienne, est nécessaire pendant l'accouchement[44].

Inconvénients

- Leur traction est plus douloureuse pour la mère que celle de la ventouse, mais elle est d'une durée de quelques secondes à peine. Si la mère n'est pas sous péridurale (voir la page 63), elle recevra une anesthésie locale ou du bloc honteux. Ce dernier type d'anesthésie est effectué à l'aide d'une aiguille, qui passe par le vagin et va injecter un anesthésiant dans le nerf honteux, de chaque côté du col de l'utérus. Cette technique anesthésie la zone du vagin et du périnée pendant la période d'expulsion seulement.

- Les forceps peuvent laisser des traumatismes au niveau du périnée de la mère. Celle-ci peut notamment ressentir des douleurs liées à la cicatrisation de l'incision médicale effectuée s'il y a eu épisiotomie (voir ci-dessous).
- Ils peuvent laisser de petites marques rouges et superficielles sur les tempes ou les oreilles du bébé, qui disparaîtront généralement au bout de quelques heures ou quelques jours.
- Ils peuvent changer légèrement la forme du crâne du bébé, mais celui-ci devrait se replacer naturellement au cours des semaines suivant la naissance.

À savoir : Des consultations en ostéopathie pourraient réduire l'apparence des marques de forceps chez le bébé.

Autres options

Il y a moyen de diminuer les risques d'un accouchement assisté en évitant la péridurale pour sentir davantage le réflexe naturel d'expulsion (voir la page 141). La mère peut également adopter des positions verticales, qui mettent à profit la gravité (voir la page 146).

10. L'épisiotomie

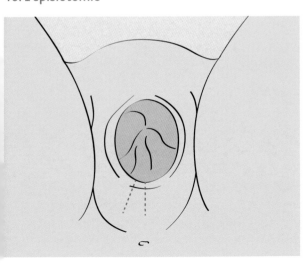

Il s'agit d'une incision médicale de 1 à 5 cm, pratiquée dans le périnée, partant de la base du vagin vers le rectum ou vers le côté, avec des ciseaux médicaux. Elle a pour but d'agrandir l'orifice vaginal pendant l'accouchement et de faciliter le passage de la tête du bébé. Avant de pratiquer l'incision, le médecin administre une anesthésie locale. Cette dernière n'est toutefois pas nécessaire si la mère est sous anesthésie péridurale ou du bloc honteux (voir les pages 63 et 66).

Pourquoi ?

Elle permet au bébé de naître rapidement lorsqu'il y a souffrance fœtale, la pose de forceps (voir la page 66) ou lorsque le médecin a besoin de plus d'espace pour sortir la tête du bébé. Par le passé, cette intervention médicale était faite systématiquement lors de la plupart des accouchements au pays. Les médecins croyaient que l'épisiotomie prévenait des déchirures naturelles importantes au niveau périnéal. La pratique médicale a toutefois changé depuis. Chez environ 70 % des femmes accouchant d'un premier bébé, les médecins devront effectuer des réparations mineures. Ces déchirures guérissent plus rapidement et sont moins douloureuses qu'une épisiotomie[45].

Inconvénients

- Elle peut causer des traumatismes au périnée, tel un œdème[46].
- Elle peut causer des infections au niveau de l'incision[47].
- Elle peut entraîner des douleurs de cicatrisation pouvant durer jusqu'à trois semaines, et causer par la suite des douleurs lors des rapports sexuels[48].

Autres options

Le massage d'assouplissement du périnée pendant la grossesse (voir la page 127), même s'il ne garantit pas à 100 % la prévention des déchirures.

À savoir : Lors de la période d'expulsion, on peut appliquer des compresses d'eau chaude pour favoriser la détente du muscle périnéal.

11. La césarienne

Cette chirurgie permet d'extraire le bébé par une incision et l'ouverture de l'abdomen. Elle est réalisée le plus souvent sous anesthésie péridurale (voir la page 63) ou rachidienne. Dans les deux cas, la mère est consciente et ne ressent pas de douleur. Elle peut toutefois sentir une légère pression lorsque le chirurgien sort le bébé de l'utérus.

En cas d'urgence, en cours d'accouchement, ou si l'efficacité de l'anesthésie péridurale ou rachidienne est nulle, le personnel médical devra pratiquer une anesthésie générale. La chirurgie en salle d'opération est d'une durée variable (d'environ 40 à 60 minutes), selon le cas et le temps que met le chirurgien pour suturer les parois de l'utérus et de l'abdomen une fois l'enfant né. Vous pouvez demander que la mère puisse avoir un contact joue à joue avec le bébé (à défaut de pouvoir le prendre dans ses bras, notamment à cause de l'écran mis en place entre elle et le personnel médical pendant la chirurgie) avant d'aller en salle de réveil.

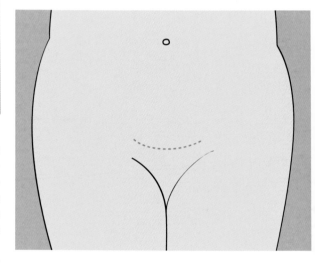

À savoir : Si votre hôpital dispose des installations nécessaires et si l'état de la mère le permet, elle peut, si elle le désire, établir un contact peau à peau avec le bébé (voir la page 152) dans la salle de réveil, pour permettre une première mise au sein (voir la page 157).

Question de parents

La ventouse, les forceps et l'épisiotomie sont-ils utilisés régulièrement de nos jours ?

Le recours à ces interventions médicales a diminué, au pays, au cours des dernières années. Le taux d'utilisation de forceps et de ventouses a été de 2 et 7 % au Québec en 2008. Quant à l'épisiotomie, elle a été pratiquée dans 11 % des accouchements au Québec en 2008[51].

Mythe

?!

**On peut demander
une césarienne pour éviter la
douleur de l'accouchement.**

Contrairement aux pratiques en cours dans certains hôpitaux dans le monde, il est rare que les médecins au pays proposent une césarienne de convenance à leurs patientes. Cette opération médicale est coûteuse, douloureuse après la naissance et risquée lorsqu'elle n'est pas justifiée. Pour ces raisons, elle est avant tout réservée à certains cas précis pendant la grossesse et l'accouchement. Vouloir éviter la douleur de l'accouchement n'est pas une raison valable pour demander une césarienne et cette requête est habituellement refusée. Pour vous rassurer quant à la douleur de l'accouchement, voir le cours 3.

Dans certaines situations, la césarienne peut être indiquée avant la date prévue d'accouchement. En voici quelques-unes :

• Le bébé se présente en position transverse dans l'utérus (en position horizontale), par les pieds, par une main, par une épaule, ou, quelquefois, par le siège (le bébé a les fesses en bas de l'utérus);

• Lors de certaines grossesses multiples, avec des jumeaux ou des triplés. Cependant, dans le cas de jumeaux, si le premier bébé a la tête vers le bas, la mère peut généralement tenter de donner naissance par voie vaginale;

• Il y a un problème avec le placenta, comme le placenta prævia (le placenta est inséré bas dans l'utérus);

• La mère est atteinte d'une condition médicale particulière, comme une crise d'herpès;

• La mère a déjà vécu une césarienne et refuse d'accoucher par voie vaginale par la suite. Toutefois, le corps médical encourage de plus en plus les accouchements vaginaux après une césarienne (AVAC) (voir la page 73).

À savoir : En prévision d'un séjour prolongé à l'hôpital, vous pouvez planifier un sac de vêtements supplémentaires dans une valise que vous laisserez à la maison (voir le cours 4). Le père ou la personne accompagnatrice pourrait la récupérer, au besoin.

Autres options

Il n'y a aucune solution de remplacement à la césarienne. Il est toutefois possible d'en réduire les risques en tentant un accouchement naturel, dans la mesure du possible, dans le cadre d'une grossesse et d'un accouchement sans complications. De plus, une étude a démontré que la présence d'une accompagnante pendant l'accouchement diminue de moitié le risque d'avoir une césarienne[58].

La position de l'OMS

Lorsque 5 à 15 % des naissances attendues dans un pays se terminent par une césarienne, on peut conclure que la plupart des femmes qui ont eu besoin d'une telle opération en ont bénéficié[59].

La position de la SOGC

Lorsque la mère ou le bébé est à risque ou que le travail ne progresse pas normalement, une intervention médicale, par exemple le recours à des forceps, à la ventouse obstétricale ou à une césarienne, est nécessaire pendant l'accouchement[60]. De plus, un bon nombre de femmes ayant déjà donné naissance par césarienne peuvent accoucher par voie vaginale, et ce, en toute sécurité[61].

Un taux de césariennes en augmentation au Québec

Environ 23 % des 84 475 accouchements pratiqués en 2008-2009 au Québec se sont terminés par une césarienne. Ce taux est supérieur à celui que l'OMS juge raisonnable ; qui plus est, il a notablement augmenté depuis 10 ans. En 2000, 18,5 % des accouchements étaient faits par césarienne au Québec[62]. Cette hausse peut s'expliquer par plusieurs facteurs, dont la réduction des risques associés à la césarienne et le choix laissé à la mère après une ou des césariennes antérieures (ou si son bébé ne se présente pas la tête en bas)[63].

À savoir : Aux Pays-Bas, environ 30 % des femmes qui vivent une grossesse sans complications donnent naissance à leur bébé à la maison par voie naturelle[64]. Or, le taux de césariennes y était de 14 % en 2009[65].

Césarienne un jour, césarienne toujours ?

Par le passé, les femmes qui avaient déjà donné naissance à un bébé par césarienne accouchaient habituellement de la même façon pour les autres enfants qu'elles avaient ensuite. Aujourd'hui, la SOGC reconnaît que l'accouchement vaginal chez les patientes ayant déjà subi une césarienne a un taux de réussite élevé et comporte beaucoup d'avantages. Dans cet esprit, un nombre grandissant de femmes tentent l'accouchement vaginal.

Les partisanes de cette option veulent généralement éviter une autre chirurgie, notamment pour être plus en forme avec leur bébé après l'accouchement et mieux vivre l'allaitement (si elles décident d'allaiter). Si la mère tente un accouchement vaginal après une césarienne (AVAC), il est recommandé qu'elle soit suivie par un médecin à l'aise avec cette pratique. Certains professionnels de la santé sont plus expérimentés que d'autres en la matière. De plus, il est important que le médecin étudie le dossier chirurgical de sa patiente et s'entretienne avec elle pour s'assurer que l'AVAC n'est pas contre-indiqué dans son cas.

Pour en savoir plus au sujet des AVAC, vous pouvez consulter des ouvrages et des associations spécialisés sur la question et en parler à votre médecin.

À savoir : Si la mère désire être épaulée de près dans le cadre d'un AVAC, elle peut faire appel aux services d'une accompagnante à la naissance. Elle pourrait alors discuter avec elle de ses expériences d'accouchement passées pour mieux les comprendre. Notez néanmoins qu'après une césarienne, la mère peut demander une césarienne planifiée à l'avance pour la naissance de ses autres enfants.

Se préparer à la césarienne

Il y a quelques années, Sylvie Thibault a accompagné Julie et Matthew pour la naissance de leur fils, Malcom, qui est né par césarienne. Elle raconte leur histoire :

« Pendant le travail, tout se déroulait normalement. Après que Julie eut crevé ses eaux, les parents se sont rendus à l'hôpital. Julie avait des contractions efficaces ; elle marchait, avait pris un bain et s'était reposée, aux côtés de son partenaire et de moi-même.

Après environ 8 heures de travail actif, un résident l'a informée que son col utérin était complètement dilaté. Julie était ravie, elle était prête pour la poussée ! Toutefois, le résident a précisé que son bébé se présentait par le siège. Elle a été surprise que son enfant était ainsi positionné en fin de grossesse. Quelques minutes plus tard, elle se trouvait en salle d'opération. À l'époque où Julie a accouché, la grande majorité des bébés positionnés en siège naissaient par césarienne au Québec. La naissance de Malcom a permis à Julie de participer au travail et d'avoir aidé son bébé pendant les contractions. La césarienne n'a pas été un échec à ses yeux. Elle se considère comme privilégiée d'avoir été préparée pendant la période prénatale à différents scénarios possibles d'accouchement, dont la césarienne. »

LES INTERVENTIONS MÉDICALES QUI PEUVENT ÊTRE PROPOSÉES LORSQUE LE BÉBÉ EST NÉ

En vue des premières heures passées avec votre enfant, comme parents, vous serez appelés à effectuer des choix que vous pourrez mentionner dans la deuxième partie de votre plan de naissance. Hormis le clampage du cordon ombilical et l'aspiration potentielle du bébé (voir le pages 74 à 75), qui sont effectués dans les premières minutes suivant la naissance, les autres interventions médicales de routine ne sont pas urgentes et peuvent être faites deux heures après la naissance, le bébé dans vos bras, au sein de votre chambre postnatale. Le contact peau à peau et une première mise au sein (si vous le désirez) sont ainsi favorisés (voir la page 152). Votre enfant est aussi plus à l'aise dans cette situation.

1. Le clampage du cordon ombilical

Quelques secondes après la naissance des bébés, certains médecins clampent rapidement le cordon ombilical entre deux pinces pour arrêter la circulation du sang. Durant la grossesse, le cordon ombilical amène au bébé tout ce dont il a besoin pour croître, mais lorsque

celui-ci est clampé, le bébé doit apprendre à respirer et à se nourrir par lui-même.

À savoir : Que le cordon ombilical soit clampé précocement ou pas, vous devrez indiquer dans votre plan de naissance qui a la responsabilité de le couper. Est-ce la mère, le père ou le médecin traitant ?

Pourquoi ?

Le clampage précoce diminue les risques de jaunisse, surtout chez les bébés à risque (ex. : si la mère est atteinte de diabète). Il est recommandé dans certains cas médicaux (parlez-en à votre médecin), et est nécessaire si les parents veulent récolter assez de sang en vue d'un don à une banque de sang publique (ex. : Héma-Québec) ou conserver le sang du cordon dans une banque privée, en vue de soins éventuels à prodiguer à leur famille. Si telle est votre intention, il est suggéré d'en parler avec votre médecin.

Inconvénient

Le clampage précoce peut diminuer l'approvisionnement en sang du bébé.

La position de l'OMS

Effectuer le clampage une à trois minutes après l'expulsion du bébé, plutôt qu'immédiatement après la naissance, améliore l'approvisionnement en fer du nouveau-né[66].

La position de la SOGC

Attendre au moins deux minutes après la naissance du bébé pour couper le cordon ombilical peut améliorer l'approvisionnement en sang du bébé, ce qui peut être avantageux, surtout pour les bébés prématurés[67].

Autres options

Attendre de deux à trois minutes après la naissance ou jusqu'à ce que le cordon ait cessé de battre avant de le clamper, s'il n'y a pas de contre-indications, pour améliorer l'approvisoinement en sang. Certaines études démontrent que le fait d'attendre deux à trois minutes après la naissance pour effectuer le clampage préviendrait le manque de fer durant l'enfance.

2. L'aspiration

Pratiqué au besoin quelques minutes après la naissance du nouveau-né, cette procédure consiste à aspirer ses sécrétions. Elle se fait généralement à l'aide d'une poire en caoutchouc, que le professionnel de la santé introduit dans le nez et la bouche de l'enfant. En cas de nécessité, on utilise un cathéter (long tube) branché sur un appareil d'aspiration électrique. Dans une telle situation, en plus d'aspirer les sécrétions de la bouche et du nez, le donneur de soins peut aspirer celles qui sont présentes dans l'estomac et les poumons.

Pourquoi ?

Si le nouveau-né n'est pas vigoureux (ex. : s'il éprouve des difficultés respiratoires et qu'il bouge peu), ce geste peut lui faciliter la tâche. Il permet de dégager les sécrétions qui pourraient empêcher l'air de passer dans ses voies respiratoires.

Inconvénient

L'aspiration par cathéter peut perturber le bébé qui vient de naître. Cette intervention n'est donc pas idéale si elle n'est pas nécessaire et qu'elle est effectuée de manière systématique. Dans certains cas, elle peut causer de l'arythmie cardiaque chez le bébé[68].

Autres options

Refuser l'intervention médicale si le bébé est vigoureux. S'il ne l'est pas, demander que la poire soit utilisée en priorité avant l'intubation, dans la mesure du possible.

> ### La position de l'OMS
>
> L'intubation systématique à la naissance ne peut pas être recommandée chez le nouveau-né vigoureux tant que de plus amples études n'ont pas été faites[69].

3. L'onguent ophtalmologique

Il s'agit d'un onguent antibiotique appliqué dans les yeux du bébé, à titre préventif, pour éviter le développement d'une infection.

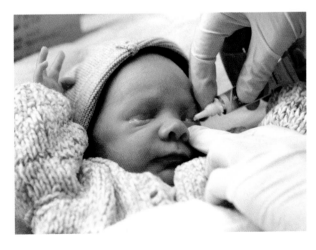

Pourquoi ?

La gonorrhée et la chlamydia sont deux infections transmissibles sexuellement (ITS) souvent sans symptômes. La mère peut en être porteuse sans le savoir. Lorsque le bébé passe dans le vagin, il peut être mis en contact avec ces germes et développer une conjonctivite. Cette infection peut avoir des conséquences allant jusqu'à la cécité.

Inconvénient

La vue du nouveau-né est brouillée au moment crucial des premiers regards entre ses parents et lui.

Autres options

Demander que cet acte médical de routine soit exécuté 2 heures après la naissance, dans les bras de ses parents, ou refuser l'intervention si les parents sont assurés de ne pas être à risque.

4. La vitamine K

Il s'agit d'une injection intramusculaire de vitamine K au niveau de la cuisse du bébé.

Pourquoi ?

L'injection de vitamine K est habituellement systématique chez les bébés, au pays, pour prévenir la maladie hémorragique classique du nouveau-né (MHNN). Cette maladie, quoique très rare, peut occasionner des séquelles graves allant jusqu'au décès. Ce type de vitamine joue un rôle important dans la coagulation du sang.

Chez les enfants et les adultes, une grande partie de la vitamine K est produite par les bactéries de l'intestin, mais on la trouve aussi dans l'alimentation. À la naissance, les réserves de vitamine K sont très faibles chez le nourrisson. En effet, au cours de la grossesse, la vitamine K ne traverse pas le placenta. De plus, le bébé naissant doit attendre quelques jours avant que son intestin puisse la synthétiser[70].

Inconvénient

L'injection intramusculaire peut être inconfortable pour le bébé.

Autres options

Demander que cet acte médical de routine soit exécuté deux heures après la naissance de l'enfant, dans les bras de ses parents. Il est aussi possible de lui administrer la vitamine K par voie orale. Si cette option vous interpelle, parlez-en à votre médecin.

La position de l'OMS

L'administration d'une dose unique (1,0 mg) de vitamine K par voie intramusculaire après la naissance est efficace dans la prévention de la MHNN classique. La prophylaxie par vitamine K (1,0 mg), par voie intramusculaire ou orale, améliore les paramètres biochimiques de la coagulation sanguine pendant un à sept jours[71].

Mythe

?!

Tous les bébés doivent recevoir l'onguent ophtalmologique à la naissance.

Les bébés qui naissent par césarienne planifiée à l'avance n'ont pas besoin de recevoir ce soin de routine. Les parents peuvent aussi le refuser s'ils sont assurés de ne pas être atteints d'ITS, à la suite de tests passés en début de grossesse[72].

LES IMPRÉVUS : NAISSANCES PRÉMATURÉES ET BÉBÉS MORT-NÉS

Pour terminer la rédaction de votre plan de naissance, il est conseillé de mentionner vos besoins en cas d'imprévus, par exemple un enfant mort-né ou une naissance prématurée. Certains parents se préparent au risque (peu élevé) du décès de leur enfant en insérant dans leur valise d'hôpital une enveloppe contenant une liste de demandes spéciales en cas de décès, ou encore en consacrant une section particulière à cet effet dans leur plan de naissance (voir la page 87).

Si tel est votre besoin, vous pourriez réfléchir à l'avance à ce que vous souhaiteriez faire dans de telles circonstances. Par exemple, certains parents voudraient que leur enfant soit photographié. Il se peut qu'au cœur d'un tel événement, ils soient trop émotifs pour penser à le faire, mais cela pourrait pourtant s'avérer important dans le processus de deuil.

La prématurité

La prématurité est définie comme toute naissance d'un enfant avant la 37e semaine de grossesse. En 2008, près de 8 % des enfants sont nés prématurément au Québec[73]. Les équipes de néonatologie des hôpitaux québécois prennent généralement en charge les nourrissons de 23 semaines et plus. Selon Préma-Québec, 9 fois sur 10, les enfants prématurés deviennent des adultes actifs et accomplis. Au même titre que certaines maladies ou complications, la prématurité peut engendrer des séquelles allant de légères à majeures (ex. : troubles de la vue, autisme et déficience intellectuelle)[74].

Dans votre plan de naissance, en prévision d'une naissance prématurée, il est souhaitable de réfléchir à des demandes spéciales. Par exemple, vous pourriez mentionner vouloir pratiquer la méthode kangourou, une technique qui consiste à ce que les parents maintiennent leur bébé contre eux, peau contre peau, de jour comme de nuit. Cette méthode se compare avantageusement à l'utilisation de l'incubateur et favorise le lien d'attachement parental ainsi que l'allaitement maternel. Au besoin, vous pourrez joindre des associations sur la prématurité, comme Préma-Québec.

Question de parents

Le risque qu'un bébé décède avant, pendant ou après la naissance est-il élevé ?

La plupart des bébés naissent en parfaite santé. Le taux de décès de nouveau-nés au Canada était de 5,1 pour 1000 naissances entre 2007 et 2008[75]. Certains de ces décès seraient attribués aux accouchements prématurés ou aux grossesses multiples (jumeaux ou triplés). Notez qu'il existe des groupes de soutien en deuil périnatal pour venir en aide aux parents touchés.

Peut-on prévenir un accouchement prématuré ?

Rien n'est garanti, mais la mère peut tenter de prévenir un accouchement prématuré en adoptant les mesures suivantes[76] :

- en cessant de fumer ou en diminuant sa consommation de nicotine ;
- en ne buvant pas de café de manière abusive (voir la page 32) ;
- en se reposant tous les jours sans se sentir coupable et en réduisant le stress dans sa vie, par exemple en déléguant des tâches à ses collègues de bureau et en s'adonnant à des techniques de relaxation comme le yoga pour femmes enceintes ou un bain quotidien (pas trop chaud) ;
- en n'augmentant pas l'intensité de son entraînement physique. Faire de l'exercice pendant la grossesse est recommandé, mais les excès sont proscrits ;

- en sachant reconnaître les signes d'un travail prématuré, comme des contractions utérines douloureuses à intervalles réguliers et de plus en plus rapprochées, un col utérin qui se dilate et s'efface, et la perte prématurée du liquide amniotique (voir les pages 129 et suivantes). Il est recommandé d'entamer la communication à ce sujet avec un médecin ou une animatrice de cours prénataux. En cas de doute, les parents peuvent joindre la ligne téléphonique Info-Santé en composant le 811.

Si la mère devait connaître un début de travail prématuré, il est important qu'elle cesse toute activité, qu'elle s'étende sur un lit et téléphone en urgence au département de sa maternité. Elle devrait de plus communiquer avec son conjoint ou toute personne l'accompagnant. Elle serait alors dirigée vers un département de néonatologie et prise en charge sur le plan médical pour éviter une naissance prématurée ou pour préparer l'accouchement avec tout le soutien nécessaire. De nos jours, la prématurité est très bien prise en charge par les équipes médicales.

Le diabète de grossesse

Le diabète de grossesse peut survenir au cours des neuf mois. Toutefois, la mère peut le prévenir. La plupart des femmes enceintes qui en sont atteintes donnent naissance à un bébé en santé, sans complications graves.

Comment prévenir le diabète de grossesse ?

La communauté médicale définit le diabète de grossesse (ou gestationnel) comme étant «tout diabète découvert pendant la grossesse». Durant les deuxième et troisième trimestres de la grossesse, le placenta produit des hormones qui réduisent l'action de l'insuline, laquelle a pour fonction de diminuer le taux de sucre dans le sang. Or, chez certaines femmes, le corps ne réussit pas à produire suffisamment d'insuline pour rétablir l'équilibre, ce qui cause le diabète. Normalement, après l'accouchement, la maladie disparaît, mais il arrive que le diabète soit de type II. Dans ces cas, la maladie était souvent déjà installée avant la grossesse, mais elle n'avait pas fait l'objet d'un diagnostic.

Le diabète de grossesse augmente le risque d'avoir un bébé de poids élevé et de souffrir de prééclampsie durant la grossesse (une hypertension avec élimination de protéines dans l'urine). De plus, il peut causer des difficultés respiratoires et de l'hypoglycémie chez le nouveau-né. Plus tard, la mère peut aussi développer un diabète de type II, et l'enfant peut être davantage à risque de souffrir d'obésité infantile et de diabète. Les femmes qui ont déjà eu un diabète gestationnel, qui ont des antécédents familiaux de diabète, qui souffrent d'obésité ou d'hypertension, qui sont âgées de 25 ans et plus ou qui appartiennent à certaines ethnies (ex.: hispanique et afro-canadienne) sont plus à risque de présenter cette maladie. La majorité des femmes ont au moins un facteur de risque. C'est pourquoi un dépistage universel est offert. Il s'agit d'un test d'hyperglycémie provoquée qui est effectué entre la 24e semaine de gestation et la 28e.

La mère peut prévenir ou contrôler son diabète de grossesse. Si un diagnostic est posé, son médecin lui recommandera une diète alimentaire conçue avec l'aide d'une nutritionniste et un programme d'exercices pour prévenir un gain de poids important. Dans 15 % des cas seulement, la mère devra prendre de l'insuline afin d'assurer un apport suffisant de glucides à son bébé. N'hésitez pas à aborder le sujet du diabète de grossesse avec votre médecin.

J. C.

Exercice pour prévenir les maux de dos

L'activité physique peut prévenir le diabète gestationnel et les maux de dos. Pour prévenir les douleurs dorsales, voici un exercice que la mère peut intégrer à sa routine quotidienne, tout au long de sa grossesse. Il assouplit l'ensemble de la musculature de la colonne vertébrale, ce qui soulage les douleurs tant au haut qu'au bas du dos.

Marche à suivre

1. Placez-vous à quatre pattes.
2. Arrondissez le bas et le milieu du dos, puis les épaules, en respirant profondément tout au long de l'exercice.
3. Laissez tomber la tête de façon à arrondir le haut du dos.
4. Étirez-vous pendant au moins 30 secondes.
5. Recommencez l'exercice 3 à 5 fois.

J. L.

Huit conseils pour prévenir le diabète de grossesse

Bien qu'une prédisposition génétique et d'autres facteurs hors du contrôle de la mère puissent être en cause dans le diabète de grossesse, un surplus de poids prégrossesse et un gain de poids excessif durant la grossesse font partie des facteurs de risque. Ainsi, pour prévenir ce diabète, la mère peut tenter d'acquérir de saines habitudes alimentaires et faire régulièrement de l'exercice, idéalement avant de devenir enceinte. Voici huit conseils pour favoriser une saine gestion du poids de la mère :

1. Privilégier les aliments riches en fibres : fruits, légumes, produits céréaliers entiers, légumineuses, noix et graines. Les fibres occupent beaucoup d'espace dans l'estomac et rassasient avec de petites portions. La mère ingère donc moins de calories au cours d'un repas ;

2. S'assurer d'inclure des protéines à tous les repas : viandes maigres, volailles, poissons, fruits de mer, œufs, produits laitiers, légumineuses, tofu, noix et graines. Les protéines soutiennent jusqu'au prochain repas ; elles préviennent les fringales et les coups de barre en après-midi ;

3. Limiter sa consommation d'aliments transformés et de fast-food, qui sont souvent peu nutritifs et riches en sucre, en gras, en calories et en sel ;

4. Ne pas sauter de repas et manger au besoin des collations nutritives pour éviter que la mère soit affamée et qu'elle mange de manière excessive au repas suivant ;

5. Écouter son corps, qui envoie des signaux lorsqu'il a vraiment faim et lorsqu'il a assez mangé. Ainsi, la mère ne s'alimente pas au-delà de ses besoins ;

6. Manger lentement pour avoir le temps d'entendre les signaux que le corps envoie et arrêter de manger avant de se sentir trop «pleine» ;

7. Ne pas se priver d'aliments «chouchous» à l'occasion, même s'ils sont très caloriques. Le fait de s'interdire des aliments donne lieu à des rages alimentaires difficiles à contrôler ;

8. Éviter les diètes restrictives à tout prix. Au besoin, se faire aider par une nutritionniste qualifiée.

M. L.

LA RÉDACTION DU PLAN DE NAISSANCE

Après avoir lu ce cours, vous connaissez maintenant la plupart des interventions médicales proposées pendant l'accouchement et les autres options qui s'offrent à vous. Vous êtes également informés sur quelques complications potentielles en cours de grossesse ou d'accouchement et les moyens pour tenter de les minimiser. Vous voici maintenant prêts à rédiger votre plan de naissance.

L'a b c du plan de naissance

Pour que le personnel hospitalier puisse lire rapidement et efficacement votre plan de naissance lors de l'accouchement, utilisez un style d'écriture concis, avec des listes à puces. Ainsi, essayez de limiter vos demandes à deux pages et évitez l'usage de termes trop directifs comme « Je veux absolument ». Privilégiez plutôt la forme diplomatique et polie en utilisant des termes comme « Dans la mesure du possible ». En effet, s'il y avait une complication en cours d'accouchement, vous ne connaîtriez pas nécessairement toutes les variables à considérer lors du choix d'une intervention médicale par votre médecin.

Voici quelques points de base pour vous aider à formuler un plan[77].

1. Votre présentation
- Votre nom, celui de votre conjoint ainsi que celui des autres personnes présentes (accompagnante, mère ou amie) s'il y a lieu.
- L'ambiance désirée dans la salle d'accouchement (ex.: lumière tamisée).
- La date prévue d'accouchement (DPA) et la date des dernières menstruations (DDM).
- La mention d'allergies, s'il y a lieu.
- Le nom de votre médecin traitant.

2. Pendant le travail, préférez-vous...
- pouvoir boire et manger ?
- que l'on surveille le cœur fœtal par monitorage fœtal intermittent ou auscultation fœtale intermittente ?
- accélérer le travail par la marche et la stimulation des mamelons ou l'injection d'ocytocine synthétique ?
- privilégier certaines techniques pour soulager la douleur : respirations, massage, bain, ballon ou autre ?
- que l'on vous donne des médicaments antidouleur ?
- que l'on vous administre l'anesthésie péridurale ? Si oui, à quel moment ?

3. Pendant la naissance, voulez-vous...
- adopter des positions verticales, mettant à profit la gravité, pour les poussées ?
- limiter les pratiques comme l'épisiotomie, la ventouse et les forceps ?
- un clampage précoce ou tardif du cordon ombilical ? Qui le coupera ?

4. Pour les soins au bébé et la période post-partum qui suit immédiatement la naissance, voulez-vous...
- que les soins de routine soient faits, ou pas (ex.: injection de vitamine K et crème antibiotique dans les yeux) ? Si oui, à quel moment ?
- essayer de vous reposer pour récupérer (voir la page 156) ?
- allaiter ou donner une préparation lactée (voir la page 154) ?
- qu'un premier bain soit donné ? Si oui, à quel moment (voir la page 167) ?

5. Avez-vous des demandes spéciales en cas d'imprévus comme une césarienne, un bébé prématuré ou un bébé mort-né ?

Le plan de naissance : un document qui demeure flexible

Le simple fait de rédiger un plan de naissance ne vous permettra pas de contrôler l'accouchement de A à Z. Bien que la plupart des naissances se déroulent avec bonheur et sans complications majeures, il faut savoir qu'un accouchement peut être constitué d'une suite d'événements imprévus. Il vaut donc mieux ne pas avoir trop d'attentes et lâcher prise. Sinon, vous risquez de vivre des déceptions. Il est important de se rappeler qu'en cas de complications, votre plan de naissance pourrait ne pas être respecté à la lettre. Il est alors recommandé de vous remettre entre les mains du corps hospitalier et de lui faire confiance. La priorité des intervenants est d'assurer la santé de la mère et du bébé. Notez aussi que le plan de naissance n'a aucune valeur juridique.

De la théorie à la pratique

> Vous trouverez toutes les activités de ce livre ainsi que quelques exemples de plans de naissance sur le site mereetmonde.com

Pour compléter la préparation prénatale du présent cours, vous pouvez mettre en pratique vos connaissances. L'activité 1 vous permettra de mieux connaître la philosophie de votre établissement, en vue de la naissance de votre enfant. L'activité 2, elle, vous permettra d'amorcer la rédaction de votre plan de naissance, si vous le désirez.

ACTIVITÉ 1: À LA DÉCOUVERTE DE LA PHILOSOPHIE DE VOTRE LIEU D'ACCOUCHEMENT

Lors d'une visite de votre lieu d'accouchement ou d'un rendez-vous auprès de votre médecin, vous pouvez poser les 10 questions suivantes.

Lors d'un accouchement sans complications, quel est votre protocole concernant les aspects suivants?

1. **La présence de résidents pendant l'accouchement:**
    Si oui, est-ce possible de limiter leur présence auprès de la mère
    à un résident à la fois par quart de travail?   Oui ◯   Non ◯

2. **L'hydratation et l'alimentation:**
    Soluté   Oui ◯   Non ◯
    ou
    Boire de l'eau et des jus   Oui ◯   Non ◯
    ou
    Manger légèrement   Oui ◯   Non ◯

    Des fours micro-ondes sont-ils à la disposition des parents (pour réchauffer la nourriture
    ou le « sac magique » pour soulager la douleur)?   Oui ◯   Non ◯

3. **La surveillance fœtale:**
    Monitorage fœtal électronique   Oui ◯   Non ◯
    ou
    Auscultation fœtale intermittente   Oui ◯   Non ◯

    Est-il possible de faire la surveillance dans une position verticale, qui met à profit la gravité?   Oui ◯   Non ◯

4. **Les outils mis à la disposition des parents pour la gestion naturelle de la douleur:**
    Un ballon   Oui ◯   Non ◯
    Un bain à remous   Oui ◯   Non ◯
    Une chaise de massage   Oui ◯   Non ◯
    Une barre de squat sur le lit en vue de la poussée   Oui ◯   Non ◯
    Un banc de naissance   Oui ◯   Non ◯
    Autres outils _____

5. L'analgésie péridurale :
Proposez-vous une analgésie qui permet à la mère de bouger légèrement ou, du moins, qui est faiblement dosée ? Oui ◯ Non ◯

Est-il possible que la mère dose le médicament elle-même par l'entremise d'une pompe ? Oui ◯ Non ◯

6. Les positions en vue des poussées :
Êtes-vous ouvert à ce que la mère adopte des positions verticales, mettant à profit la gravité pendant l'expulsion du bébé ? Oui ◯ Non ◯

7. Le clampage du cordon ombilical :
Clampage précoce Oui ◯ Non ◯
Deux minutes suivant la naissance Oui ◯ Non ◯
Clampage tardif Oui ◯ Non ◯

8. L'allaitement :
Favorisez-vous l'allaitement maternel ? Oui ◯ Non ◯

Quelle est votre philosophie en matière d'allaitement, notamment pour les mères qui accouchent par césarienne ou d'un bébé prématuré ?

_____

_____

9. Les soins de routine chez le nouveau-né (vitamine K, onguent dans les yeux, etc.) :
Après quelques minutes Oui ◯ Non ◯
Après une heure Oui ◯ Non ◯
Après deux heures Oui ◯ Non ◯
À la pouponnière Oui ◯ Non ◯
Dans la même chambre que les parents Oui ◯ Non ◯

10. Le repos récupérateur après l'accouchement :
Permettez-vous à la mère et au bébé de dormir quelques heures après une première mise au sein ? (voir la page 156) Oui ◯ Non ◯

ACTIVITÉ 2 : RÉDACTION DE VOTRE PLAN DE NAISSANCE

Pour vous aider à composer votre document, voici un modèle de plan de naissance avec espaces à remplir, aussi téléchargeable depuis le site Internet du centre de maternité Mère et monde : mereetmonde.com. Une fois que votre plan de naissance sera terminé, sachez qu'une accompagnante pourrait le réviser en fonction de votre protocole hospitalier. Dans les prochains cours, vous acquerrez les notions nécessaires pour le remplir parfaitement. N'hésitez pas à transformer l'exercice en activité de *scrapbooking,* en agrémentant votre plan de naissance de photos et de dessins. Soyez créatifs ! Ce document, à photocopier ou à retranscrire, peut devenir un souvenir pour votre enfant.

Nom de la mère : _____

Allergies et toute condition médicale importante (ex. : diabète) (s'il y a lieu) : _____

_____

Nom du père : _____

Nom de l'accompagnante ou des personnes accompagnatrices (s'il y a lieu) : _____

_____

Nom du médecin : _____

Date prévue d'accouchement (DPA) : _____

Date des dernières menstruations (DDM) : _____

Nom du bébé : _____

Merci à l'équipe médicale de participer à cette belle aventure !

Ambiance désirée dans la chambre (ex. : calme et relaxante ; lumières tamisées ; voix basses ; etc.)

_____

	Oui	Non
Pouvoir choisir les positions pour le travail et les poussées	Oui ○	Non ○
Soluté	Oui ○	Non ○
Pas de soluté (si pas de médication nécessaire)	Oui ○	Non ○
Pouvoir boire et manger légèrement	Oui ○	Non ○
Monitorage fœtal intermittent	Oui ○	Non ○
Auscultation fœtale intermittente avec Doppler	Oui ○	Non ○
En position de gravité	Oui ○	Non ○

Soulagement de la douleur

	Oui	Non
Ne pas offrir la péridurale, on en fera la demande au besoin (après 3 cm)	Oui ○	Non ○
Mobilité, marche	Oui ○	Non ○
Ballon	Oui ○	Non ○
Bain	Oui ○	Non ○
Massage	Oui ○	Non ○
Points d'acupression	Oui ○	Non ○
Pensées positives, visualisation	Oui ○	Non ○

Accélération du travail

Marcher, changer de positions (verticales)   Oui ◯   Non ◯
Stimulation des mamelons, points d'acupression   Oui ◯   Non ◯
Amniotomie (rompre la poche amniotique) seulement en dernier recours   Oui ◯   Non ◯
Ocytocine synthétique seulement en dernier recours   Oui ◯   Non ◯

Examens vaginaux

Faits par la même personne, autant que possible   Oui ◯   Non ◯
À la demande de la mère   Oui ◯   Non ◯

Expulsion

Spontanée, selon le réflexe d'expulsion de la mère   Oui ◯   Non ◯
Dirigée par le père et une accompagnante   Oui ◯   Non ◯
Dirigée par le médecin ou l'infirmière   Oui ◯   Non ◯

Protection du périnée

Compresses d'eau chaude en fin de poussée par une accompagnante ou l'infirmière   Oui ◯   Non ◯
Sac de glace après la naissance pour prévenir un œdème au périnée   Oui ◯   Non ◯

Naissance du bébé

La mère va chercher le bébé   Oui ◯   Non ◯
Le père va chercher le bébé et le donne à la mère   Oui ◯   Non ◯
Les parents vont chercher le bébé ensemble   Oui ◯   Non ◯
Le médecin donne le bébé à maman   Oui ◯   Non ◯

En cas de césarienne

À quel moment si la césarienne est planifiée ?   _____
Le nom de la personne accompagnatrice en salle d'opération :   _____
Explications de la chirurgie   Oui ◯   Non ◯
Contact joue à joue de la mère avec le bébé   Oui ◯   Non ◯
Contact peau à peau avec la mère en salle de réveil   Oui ◯   Non ◯
   ou avec le père en attendant que la mère sorte de la salle de réveil   Oui ◯   Non ◯
Bébé allaité le plus tôt possible   Oui ◯   Non ◯
Ne donner aucune suce ni aucun biberon ou supplément de lait commercial   Oui ◯   Non ◯

Cordon ombilical

Attendre que les pulsations cessent avant de clamper   Oui ◯   Non ◯
   Attendre _____ minutes
Don de sang du cordon ombilical à Héma-Québec ou à une banque privée   Oui ◯   Non ◯
Qui coupera le cordon ?
   Père   Oui ◯   Non ◯
   Mère   Oui ◯   Non ◯
   Médecin   Oui ◯   Non ◯

Voies nasales

Désobstruction des voies nasales et respiratoires seulement si nécessaire   Oui ◯   Non ◯
Bébé tousse et expulse ses sécrétions s'il n'y a pas de complications   Oui ◯   Non ◯

Utilisation de la poire en caoutchouc   Oui ◯   Non ◯
Utilisation du cathéter en dernier recours   Oui ◯   Non ◯

Chaleur
Bébé en contact peau à peau avec la mère   Oui ◯   Non ◯
Bébé en contact peau à peau avec le père   Oui ◯   Non ◯

Soins de routine chez le nouveau-né
Faits après 2 heures de vie   Oui ◯   Non ◯
Faits dans la chambre   Oui ◯   Non ◯
Faits à la pouponnière   Oui ◯   Non ◯
Crème antibiotique dans les yeux du bébé   Oui ◯   Non ◯

Allaitement
Maternel sur demande, sans suce, ni biberon, ni suppléments   Oui ◯   Non ◯
Lait tiré de la mère ou suppléments donnés avec un dispositif d'aide à l'allaitement
(tube), au compte-gouttes, à la cuillère ou au gobelet (si problèmes d'allaitement)   Oui ◯   Non ◯
Préparations lactées à la demande de la mère seulement   Oui ◯   Non ◯

Premier bain
Après 12 heures de vie   Oui ◯   Non ◯
Après 24 heures de vie   Oui ◯   Non ◯
De retour à la maison   Oui ◯   Non ◯
Selon la routine hospitalière   Oui ◯   Non ◯
Donné par le père ou la mère   Oui ◯   Non ◯
Donné par le personnel hospitalier   Oui ◯   Non ◯

Bébé prématuré ou malade
Méthode kangourou   Oui ◯   Non ◯
Si le bébé est transféré à un autre hôpital, son père restera avec lui   Oui ◯   Non ◯
Allaitement maternel dès que possible   Oui ◯   Non ◯
Lait maternel donné au compte-gouttes, à la tasse ou avec un dispositif d'aide
à l'allaitement (tube) (si problèmes d'allaitement)   Oui ◯   Non ◯
Bébé nourri au biberon (lait commercial) par les parents ou l'infirmière   Oui ◯   Non ◯

Bébé mort-né (demandes particulières)
Présence d'un prêtre ou cérémonie religieuse   Oui ◯   Non ◯
Mèche de cheveux   Oui ◯   Non ◯
Photo   Oui ◯   Non ◯
Pouvoir le bercer aussi longtemps que désiré   Oui ◯   Non ◯
Empreintes   Oui ◯   Non ◯
Contact avec un groupe de soutien   Oui ◯   Non ◯

Téléphone en cas d'urgence : _____

Signature des parents : _____

_____

b) Réponse du futur père :

_____

_____

_____

_____

2. Partagez ensemble vos réponses respectives et entamez la discussion afin de mettre vos perceptions en perspective.

Est-ce que vos mots ont une connotation plutôt négative comme « Aïe ! », « Mal », « Sang », « Panique », « Rouge » et « Évanouissement » ? Si tel est le cas, acceptez-les et ne soyez pas inquiets. Un grand nombre de parents écrivent ce genre de mots lors des cours prénataux animés au centre de maternité Mère et monde. Par l'entremise des mots écrits, essayez de déterminer et d'exprimer vos peurs. Tentez ensuite de cheminer dans votre réflexion.

En discutant avec votre partenaire, votre perception de la douleur de l'accouchement devrait en effet se préciser. À la suite des explications théoriques des pages suivantes, vous allez sûrement vous sentir plus à l'aise en ce qui a trait à la douleur de l'accouchement. Par ailleurs, il est aussi possible que vous ayez déjà inscrit des mots positifs tels que « Passage », « Force », « Naissance de notre enfant » et « Respirations ». Si c'est le cas, la lecture de ce cours vous procurera des conseils supplémentaires pour conserver cet état d'esprit lors de l'accouchement.

LA DOULEUR, UNE CAUSE PSYCHOLOGIQUE

Les Occidentaux évitent généralement la douleur comme la peste. Par exemple, dès les premiers symptômes d'un mal de tête, ils ont souvent le réflexe d'avaler un comprimé d'acétaminophène. Imaginez donc l'ampleur que prend la douleur de l'accouchement à leurs yeux ! L'analgésie péridurale est fréquemment présentée comme une

panacée, sans que ses inconvénients soient mentionnés. Or, contrairement à l'idée préconçue que se font plusieurs personnes, la douleur physique n'est pas une ennemie. Puisque la douleur de la naissance est associée à un événement heureux, elle est souvent plus intense que désagréable. La douleur de l'accouchement n'annonce pas la maladie, mais... la vie ! Elle prépare la femme à devenir mère. Si celle-ci ne ressentait pas de contractions pour indiquer l'accouchement imminent, elle pourrait donner naissance au sein d'un environnement inapproprié (ex. : un restaurant ou un autobus). Les contractions sont la prémisse de la rencontre avec son bébé, qu'elle attend depuis neuf mois, voire des années ! L'accouchement est un passage dans sa vie de femme.

Devenir l'amie de la douleur

Le fait de comprendre que les contractions aident son enfant à descendre dans son bassin pendant l'accouchement peut aider la mère à accueillir la douleur d'un œil favorable. Après tout, ce sont elles qui l'amèneront à se retrouver dans un environnement calme et approprié en vue de l'accouchement. Plutôt que de mettre « ses gants de boxe » pour lutter contre les contractions, elle pourra tenter de les apprivoiser une à une, lors du travail, et de leur donner un sens. Si la mère perçoit les contractions comme essentielles et positives, et qu'elle sait que c'est grâce à elles que le col se dilate et que le bébé peut naître, sa perception de la douleur sera en effet transformée et les contractions seront moins désagréables[1].

Pour encourager la mère pendant l'accouchement, le père ou la personne accompagnatrice peut lui rappeler à quel point elle désirait avoir des contractions, lors des derniers jours de sa grossesse. Ne l'oubliez pas : les signes du début de travail sont le présage d'un événement heureux ; ils vous mènent à votre enfant.

Des peurs transmises de génération en génération ?

Chez beaucoup de femmes, la peur de la douleur de l'accouchement est aussi conditionnée, en partie, par la programmation mentale transmise par les personnes de leur entourage. Les histoires d'accouchement qu'elles ont entendues au cours de leur vie peuvent avoir amplifié leurs craintes, d'autant plus que certains détails (ex.: le recours à l'épisiotomie ou les forceps [voir les pages 66 et 67]) peuvent avoir été exagérés à cause du contenu émotif qui leur est associé. Sans s'en rendre compte, certaines femmes peuvent leur avoir transmis leurs propres appréhensions. Toutefois, si la future maman leur posait quelques questions sur leur préparation, elle s'apercevrait peut-être que ces femmes n'avaient pas nécessairement été bien préparées en vue de l'accouchement. L'ignorance de certaines interventions médicales et leur aspect inattendu peuvent en effet avoir laissé une impression négative sur ces femmes. Elle pourrait aussi découvrir que le protocole de leur hôpital proposait l'épisiotomie comme une intervention de routine, alors que ce n'est plus le cas de nos jours, et ce, dans la plupart des hôpitaux du pays. À l'opposé, il est probable que certaines femmes de l'entourage de la mère relatent des histoires d'accouchement heureuses. Chaque femme possède sa propre expérience de l'enfantement ; chaque histoire est unique. La future maman aura la sienne, ne l'oubliez pas.

Une image déformée de l'accouchement

Les médias véhiculent quelquefois une image déformée de l'accouchement. Il arrive que les images télévisuelles présentent une femme qui halète, sue et crie fort, en poussant son bébé en position couchée, avec son conjoint passif à ses côtés. Or, ce portrait s'avère peu représentatif de la réalité. La majorité des parents qui ont reçu une préparation prénatale telle que celle proposée au centre de maternité Mère et monde ou dans le présent ouvrage se détendent entre les contractions et ne crient pas. Certaines mères arrivent même à rire !

La douleur, c'est dans la tête ?

De nombreux sportifs utilisent le conditionnement mental pour se préparer aux compétitions auxquelles ils participent. Le système nerveux ne peut faire la différence entre une expérience imaginée et une expérience réelle[2]. Quand une image positive ou négative s'imprime dans l'esprit, elle influence la perception du subconscient quant à la réalité ; l'expérience vécue peut en être influencée. De plus, la sensation de douleur varie d'une personne à une autre, en fonction du tempérament et de l'expérience de vie de chacune. Par exemple, une femme sportive, qui a souvent été blessée ou courbaturée, peut trouver la

Question de parents

Est-ce vrai que les femmes accouchent comme leur mère ?

Il peut y avoir un lien entre une mère et sa fille en ce qui a trait à la forme de leur bassin ou à la grosseur de leur bébé, ce qui peut influencer ou pas la descente du bébé dans le bassin. Toutefois, il se peut qu'il n'y ait pas de liens. De plus, l'état psychologique de la femme enceinte n'est pas nécessairement le même que celui de sa mère.

Grâce à des lectures, à des cours prénataux, au soutien actif de son partenaire et d'une accompagnante pendant l'accouchement, la femme enceinte est en mesure de bien se préparer et s'entourer pour vivre un accouchement davantage épanoui. En même temps, il est important qu'elle n'ait pas trop d'attentes face à son accouchement. Sinon, elle risque d'être déçue. Des imprévus peuvent aussi se présenter.

douleur de l'accouchement relativement tolérable. Au contraire, une femme qui n'a jamais souffert physiquement peut trouver l'expérience plus difficile.

Il est important de savoir mettre les événements en perspective. Dites-vous que le corps de la femme est fait pour enfanter. Malgré l'intensité de la douleur de l'accouchement, les nouvelles mères sont souvent étonnées de découvrir la grande force qui les mène à donner naissance à leur enfant. L'effort de l'accouchement peut être comparé à celui d'un marathon. Après la persévérance vient la gratification. Plutôt que de recevoir une médaille, elles vont rencontrer leur bébé. N'est-ce pas la plus belle récompense au monde ? Toutefois, en dépit de tous les encouragements, il se peut que la femme enceinte continue d'appréhender l'accouchement. Si c'est le cas, elle ne doit pas s'en inquiéter. Quand les peurs surgissent dans son esprit, le mieux est de les accepter, tout simplement. Elle peut ensuite se recentrer sur elle-même et son enfant dans l'instant présent. Elle peut aussi confier ses craintes à son conjoint, à son médecin ou à une accompagnante.

À savoir : Les accompagnantes à la naissance de Mère et monde aident les parents à se préparer à l'accouchement en fonction de leurs besoins. En même temps, elles les exposent à plusieurs scénarios d'accouchement et à lâcher prise.

Clin d'œil de l'accompagnante

Une mère plus forte qu'elle ne le pensait

Sylvie Thibault a déjà accompagné une mère qui avait particulièrement peur de la douleur de l'accouchement. « Lors de l'une de nos rencontres prénatales, cette femme se préparait à accoucher avec beaucoup d'anxiété, se souvient-elle. Pour soulager sa douleur, elle envisageait de demander la péridurale dès que possible. Elle avait pris cette décision avant même de tomber enceinte, et m'a expliqué que, depuis des années, elle souffrait de migraines très douloureuses. En discutant avec elle, j'ai découvert qu'elle arrivait à gérer la douleur de ses migraines. Je lui ai alors mentionné qu'elle était peut-être plus forte qu'elle ne le pensait pour apprivoiser la douleur de l'accouchement, puisqu'elle vivait déjà avec une douleur physique. Notre préparation prénatale pour soulager la douleur de manière naturelle ainsi qu'un renforcement positif de la force en elle l'ont fait cheminer dans sa réflexion, ce qui lui a donné confiance. Le lendemain de son accouchement, l'heureuse mère m'a répété à cinq reprises au téléphone qu'elle n'en revenait encore pas d'avoir acouché sans péridurale ! »

Mythe

?!

Accoucher fait tellement mal que l'analgésie péridurale est inévitable.

Chaque femme vit différemment la douleur de l'accouchement. Le choix d'avoir recours ou pas à une péridurale lui revient. Des facteurs tels qu'un environnement calme et un accompagnement personnalisé favorisent les accouchements sans analgésie. Toutefois, il est impossible de prévoir tous les facteurs, dont la durée de l'accouchement. Qu'advient-il si la mère ne peut pas recevoir la péridurale parce qu'elle accouche rapidement, que l'anesthésiste n'est pas disponible ou qu'elle est davantage effrayée par l'analgésie en question que par la douleur? Dans cet esprit, il est important que vous vous prépariez tant au recours à des méthodes pharmacologiques (voir la page 62) qu'au recours à celles qui ne sont pas pharmacologiques en matière de gestion de la douleur (voir la page 98).

Quelle est la sensation d'une contraction utérine ?

Cette sensation varie beaucoup d'une femme à une autre. La douleur des contractions s'apparente habituellement à celle des crampes menstruelles, mais elle peut s'avérer plus intense.

Souvent, pendant une contraction, les mères ont de la difficulté à parler. Un inconfort peut aussi être ressenti, tout au long du travail, au bas du ventre et du dos.

LA DOULEUR, UNE CAUSE PHYSIQUE

Bien sûr, la douleur de l'accouchement n'est pas seulement psychologique. Pendant le travail, certaines couches musculaires de l'utérus se contractent pour effacer et dilater le col. Le bébé, lui, tente de descendre dans le bassin, c'est ce qui cause principalement la douleur physique. Lors d'une contraction, la mère peut avoir le réflexe de raidir tous les muscles de son corps et crier : « Aïe, ça fait mal ! » Il est vrai que l'accouchement est exigeant et que la douleur peut être intense et causer de l'inconfort. Mais il y a moyen de modifier l'expérience en prenant une respiration profonde, tout en relaxant ses muscles, lors d'une contraction utérine (voir la page 98). Au contraire, les femmes qui sont très tendues physiquement ressentiront davantage la douleur. En effet, chaque contraction, au lieu d'agir sur un col enclin à s'étirer, devra « se battre » contre des muscles rigides mal oxygénés.

LA DOULEUR, UNE CAUSE ENVIRONNEMENTALE

La douleur du travail peut également être exacerbée si l'environnement où se trouve la mère n'est pas propice à son bien-être et à sa relaxation. Une telle situation tend à stimuler les hormones de stress et à inhiber les contractions (voir la page 95).

Pour optimiser l'efficacité du travail, il ne faut pas perturber la mère. Celle-ci doit plutôt se trouver dans une pièce calme avec une lumière tamisée, des rideaux et des portes fermés, afin d'éviter le stress engendré par un brouhaha extérieur possible. Vous pouvez même apporter avec vous à l'hôpital des objets familiers vous rappelant votre maison (ex. : un oreiller avec l'odeur de votre lit ; nous y reviendrons au cours 4).

Si l'accouchement se déroule sans complications, vous pouvez aussi demander aux professionnels de la santé de procéder aux actes médicaux (ex. : le toucher vaginal [voir la page 120]) sur une base individuelle. Il n'est pas souhaitable que la mère se sente observée par plusieurs individus à la fois dans la salle de naissance. Elle doit pouvoir se plonger dans sa « bulle » et faire abstraction de tout ce qui l'entoure. Notez qu'une accompagnante à la naissance peut vous aider à mettre en place un environnement douillet à l'hôpital et veiller à ce que votre intimité soit optimale, dans la mesure du possible.

À savoir : Instinctivement, les animaux domestiques mettent bas leurs petits dans un environnement de pénombre, comme celui d'un placard. D'ailleurs, une étude a déjà mis en évidence que les femelles souris mises dans un endroit non familier, dans une cage en verre éclairée (plutôt que dans une cage sombre et opaque) ou transportée en différents lieux entre le début du travail et la fin de l'accouchement, connaissaient un accouchement plus difficile, plus à risque et de plus longue durée que celles qui n'étaient pas perturbées[3, 4].

Avis du médecin

Les endorphines, des antidouleurs naturels

Les hormones jouent un rôle prépondérant en fin de grossesse et durant le travail. Au cours des jours qui précèdent l'accouchement, des changements dans les contractions et le col se produisent sous l'effet des prostaglandines. En début de travail, l'hypothalamus, la partie primitive du cerveau, libère des hormones comme l'ocytocine, qui causent des contractions régulières et aident les mères à conserver leur énergie en les rendant un peu plus somnolentes et en diminuant leur stress.

La production d'ocytocine diminuera une fois le placenta délivré, mais elle continuera tout de même, afin de réduire le risque d'hémorragie post-partum. De plus, pendant un accouchement, l'hypothalamus sécrète des endorphines pour atténuer la douleur des contractions. Celles-ci sont libérées tout au long du travail et ont un effet analgésique similaire à celui de la morphine, sans ses inconvénients. Elles altèrent le niveau d'éveil et aident à tolérer la durée du travail. À l'opposé, les hormones de stress comme l'adrénaline (une catécholamine) peuvent être libérées dans des situations de stress ou de peur pendant le travail, et peuvent alors inhiber la production d'ocytocine. Toutefois, libérées au moment de la naissance, elles augmentent la force des contractions et le réflexe naturel expulsif (voir la page 140).

Afin que toutes les hormones puissent jouer leurs rôles respectifs au moment opportun pendant le travail, il est recommandé d'éviter les interventions médicamenteuses non nécessaires parce qu'elles peuvent altérer l'équilibre et les effets de ces hormones. Pour favoriser un fonctionnement hormonal optimal, les mères peuvent prioriser des positions verticales, permettant ainsi à la gravité d'aider leur bébé à descendre dans le bassin, s'hydrater régulièrement, manger, et créer un espace intime où elles se sentiront en sécurité. Il est aussi souhaitable de limiter les sources de stress après la naissance, car elles pourraient augmenter les risques d'hémorragie post-partum.

À savoir: L'hypothalamus est stimulé lors de l'acte sexuel. Les femmes qui arrivent à se détendre et à s'abandonner pendant l'accouchement, comme lors d'une relation sexuelle, favoriseront la sécrétion d'ocytocine et d'endorphines. À l'opposé, celles qui penseront, s'inquiéteront et analyseront tout pendant leur accouchement stimuleront le néocortex, la partie du cerveau dite rationnelle, et la production d'adrénaline.

J. C.

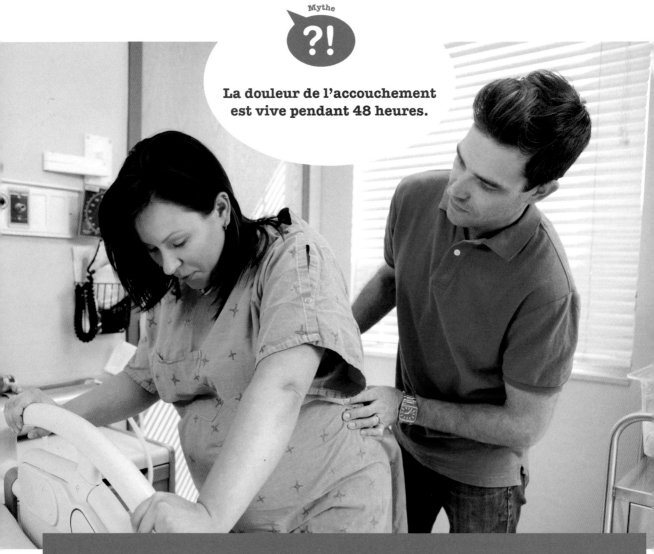

?!

La douleur de l'accouchement est vive pendant 48 heures.

La durée moyenne d'un accouchement pour un premier bébé est de plus ou moins 14 heures à partir des premières contractions dans la phase de latence. En général, pendant cette phase du travail, qui permet une dilatation du col utérin de 3 cm, les mères éprouvent relativement peu d'inconfort puisque les contractions sont d'une durée inférieure à 60 secondes, à des intervalles variant entre 20 et 5 minutes. Or, cette période est d'une durée moyenne de 8 heures, ce qui représente plus de la moitié du travail. Sachez également que tout au long du travail, la mère vivra des intervalles sans contraction, où elle n'éprouvera pas de douleur. Elle pourra en profiter pour fermer les yeux et se reposer.

VÉCU PHYSIOLOGIQUE DE LA DOULEUR

	Hormone du stress	Hormones de la relaxation
Hormones principalement impliquées	L'**adrénaline**, qui nuit à la sécrétion de l'ocytocine et à l'efficacité du travail.	Les **endorphines**, qui favorisent la sécrétion d'ocytocine et l'efficacité du travail, tout en diminuant la douleur.
Facteurs stimulant leur production	Peur, froid, lumière, cris, solitude, paroles décourageantes, va-et-vient constant dans la chambre, sentiment d'être observée, etc.	Paroles rassurantes, pénombre, accompagnement, respirations profondes, massages, rires, etc.*
Effets physiologiques	Corps sur la défensive et résistance musculaire. Si le stress est continu, la sécrétion ininterrompue d'adrénaline peut mener à la panique.	Corps qui se relâche et détente musculaire. Si la détente est continue, l'accouchement est mieux vécu.

* À titre indicatif seulement. Il est important de proposer les outils de relaxation appropriés à chaque femme. Par exemple, un massage peut stresser certaines femmes (adrénaline) et en détendre d'autres (endorphines) (voir p. 98).

Question de parents

Les femmes arrivent-elles toutes à se détendre et à sécréter des endorphines pendant le travail?

La plupart des femmes arrivent à se détendre lors de l'accouchement. Bien entendu, il peut arriver qu'à un certain moment, la mère se sente davantage tendue. Une préparation prénatale approfondie et le soutien de son conjoint, d'une personne de son entourage ou d'une accompagnante à la naissance peuvent grandement l'aider à mettre toutes les chances de son côté.

La douleur lors de la période expulsive est-elle plus inconfortable que celle des contractions utérines ?

La douleur varie beaucoup d'une femme à une autre. La douleur associée à la période où les mères poussent leur enfant est toutefois généralement différente de celle des contractions. Certaines femmes apprécient de pousser leur bébé, sensation qu'elles associent à un sentiment de libération, comme le sprint final de leur marathon. Elles sont souvent animées d'un second souffle, motivées à l'idée de rencontrer leur enfant. D'autres parlent plutôt d'inconfort, d'intensité extrême, de fatigue et de sensation de brûlure, qu'elles aient eu recours ou non à l'analgésie péridurale.

LA PRÉPARATION PRÉNATALE

Vous venez sûrement de comprendre l'importance de la déprogrammation des idées reçues en matière d'accouchement, du rôle des hormones, de la détente musculaire et d'un environnement intime pour l'accouchement. Mais si vous voulez approfondir votre préparation prénatale en matière de douleur, que pouvez-vous faire de plus ? Devez-vous nécessairement apprendre, tous deux, des respirations ou exercices compliqués ? La réponse est non. Lors de l'accouchement, il vous suffira de mettre en pratique des méthodes pour détendre la mère afin d'optimiser la sécrétion naturelle d'endorphines.

Dans la section « Votre boîte à outils » ci-après, vous trouverez une quinzaine de techniques généralement appréciées par les parents. En fonction de votre personnalité et de vos besoins, sélectionnez-en quelques-unes et mettez-les en application, tout au long du travail. Le fait de varier les méthodes rendra l'accouchement moins monotone et devrait aider la mère à se détendre et à mieux vivre son travail. Lors de votre préparation prénatale, ne vous concentrez pas seulement sur une technique en particulier, car la mère ne sait pas encore de quelle manière elle réagira durant l'accouchement.

Au cours des dernières années, les éducatrices prénatales du centre de maternité Mère et monde ont notamment remarqué que certaines femmes, qui pensaient apprécier écouter de la musique, se faire toucher ou faire des exercices sur le ballon, par exemple, avaient finalement en aversion l'une de ces techniques ou les trois pendant le travail. Comme quoi il n'y a pas qu'une seule méthode valable pour préparer son accouchement ! Prenez soin de sélectionner à l'avance différents outils pour gérer la douleur, sans les imposer pour autant à la mère le jour venu. Le père ou la personne accompagnatrice peut même prévoir des solutions de remplacement qui l'aideront.

VOTRE BOÎTE À OUTILS

1. La détente, le relâchement musculaire du corps et la respiration

Pendant le travail, il est essentiel que la mère se détende physiquement. Elle peut relâcher tous les muscles de son corps, comme ceux du visage, des épaules et des mains, puis inspirer profondément par le nez en gonflant le ventre (à surveiller : beaucoup de personnes ont tendance à inspirer en rentrant le ventre). Ensuite, elle doit expirer très lentement, en dégonflant le ventre (notez que l'expiration doit être plus longue que l'inspiration) pour qu'il y ait relaxation. Si elle n'arrive pas à respirer de cette façon, elle peut se détendre et respirer très lentement, suivant ses sensations.

lors d'une contraction. Les respirations permettent de mieux maîtriser les situations de stress et d'oxygéner le corps.

Truc pour le conjoint ou la personne accompagnatrice : Respirez avec la mère. Dites-lui de détendre les muscles de son visage, ses épaules et ses mains pendant la contraction.

2. Détourner l'attention de la douleur
Il y a de fortes possibilités que la mère vive difficilement ses contractions si elle se concentre sur la douleur. Elle peut plutôt porter son attention sur sa respiration, sur la musique ambiante ou sur un massage dorsal effectué par son conjoint ou la personne accompagnatrice. En portant son attention sur autre chose que la douleur, elle permet à son cerveau de percevoir un message différent[5].

Truc pour le conjoint ou la personne accompagnatrice : Trouvez des moyens pour détourner l'attention de la mère de sa douleur, selon ses goûts.

3. La visualisation ou l'autohypnose
Pendant la grossesse, la mère peut tenter de déprogrammer sa peur de l'accouchement. Par exemple, après avoir visité son hôpital, elle peut visualiser, à quelques reprises, un scénario d'accouchement serein, comme un film qui se déroule devant ses yeux. En se préparant mentalement avant la naissance, la mère devrait se sentir plus en confiance, peu importe le scénario d'accouchement qu'elle vivra. Toutefois, même en effectuant cet exercice, il est recommandé qu'elle n'ait pas trop d'attentes irréalistes quant à l'issue de l'accouchement.

Durant le travail, la visualisation peut s'avérer utile. Par exemple, la mère pourra fermer les yeux et imaginer qu'elle se trouve au sein d'une mer paisible, où elle se laisse porter par une vague qui monte (la contraction), puis redescend (période de repos entre les contractions). Tout au long des contractions, elle pourra visualiser qu'elle aperçoit son bébé sur le bord du rivage. Elle pourra aussi visualiser qu'elle arpente une montagne et qu'elle aperçoit son petit au sommet. Tentez de trouver les images mentales qui vous ressemblent et qui vont faire du bien à la mère !

Truc pour le conjoint ou la personne accompagnatrice : Rappelez à la mère une image mentale qui la plonge dans un contexte paisible et heureux.

Question de parents

La mère doit-elle apprendre la respiration du « petit chien » ?

La respiration haletante du petit chien, qui était pratiquée par le passé lors des accouchements, ou les respirations compliquées, ne sont habituellement pas recommandées. En voulant suivre une technique à la lettre, la mère risque de moins se détendre. Pendant une contraction, elle peut respirer comme indiqué plus haut (outil n° 1), ou comme dans la vie de tous les jours, en prenant soin d'inspirer et d'expirer plus profondément.

4. Le langage positif

Par l'entremise de phrases positives qui peuvent être répétées par le conjoint ou la personne accompagnatrice, la mère peut arriver à mieux vivre les contractions.

Truc pour le conjoint ou la personne accompagnatrice : Dites à la mère ces paroles positives ou induisant la relaxation : « Relâche les muscles de ton visage, tes épaules et tes mains » ; « Respire lentement et profondément » ; « Sois calme et confiante » ; « Tu es courageuse, notre bébé travaille avec toi » ; « Nous faisons ce voyage ensemble » ; etc.

Conseil pour les couples

Le massage du bas du dos

Tout toucher effectué avec amour et attention rassure, soulage et détend la mère en travail. Voici une technique de massage pour guider le père ou la personne accompagnatrice.

Marche à suivre

1. Commencez par huiler le creux de vos mains et vos avant-bras. Utilisez la main qui correspond au côté opposé à la hanche de la femme (ex. : votre main gauche sur sa hanche droite). Étendez l'huile sur l'os du sacrum et contournez l'os de la hanche (la crête iliaque).

2. Relâchez la pression, une fois la main arrivée sur les côtés, au-dessus de la hanche. Revenez en sens opposé, en appliquant une légère pression sur le sacrum.

3. Continuez à faire des mouvements d'aller-retour.

Caresser le tour de la hanche de la mère l'aide à relâcher les tensions qui s'accumulent dans le psoas, un muscle qui prend naissance dans la hanche et qui s'attache sur les vertèbres du bas du dos. Comme ce muscle est en continuité avec le diaphragme respiratoire, il est associé au stress émotionnel, particulièrement celui lié à la peur.

J. B.

5. Le massage

Pendant le travail, certaines mères aiment se faire masser le bas du dos, au niveau du sacrum, une zone sensible. Vous n'avez pas besoin d'apprendre à l'avance des techniques complexes de massage. Le père ou la personne accompagnatrice n'a qu'à suivre les demandes de sa partenaire.

En effectuant un massage non douloureux sur un endroit douloureux du corps de la mère, le père ou la personne accompagnatrice bloque une partie des fibres nerveuses qui transmettent des messages de douleur au cerveau[6]. De plus, le toucher amène une détente musculaire.

Truc pour le conjoint ou la personne accompagnatrice : Massez la mère à l'endroit désiré. Suivez ses instructions ou essayez le massage proposé par Julie Bonapace (voir la page 100).

6. La stimulation des points d'acupression

Pendant une contraction, le père ou la personne accompagnatrice peut effectuer un massage douloureux sur des zones réflexes de points d'acupuncture afin d'optimiser l'efficacité de la contraction. Un massage douloureux permet au cerveau de la mère de mettre de côté la douleur de la contraction pour se concentrer sur le deuxième site douloureux. Des endorphines sont libérées et atténuent la douleur dans tout le corps pour ne laisser comme sensation douloureuse que celle de la zone stimulée[7].

Vous pouvez apprendre des points d'acupression dans l'ouvrage *Accoucher sans stress avec la méthode Bonapace*, publié aux Éditions de l'Homme.

Truc pour le conjoint ou la personne accompagnatrice : Ayez recours aux services d'une accompagnante certifiée à la méthode Bonapace chez Mère et monde.

7. Le bain chaud

L'eau chaude détend les muscles du corps, ce qui favorise la relaxation. En soutenant le poids de l'abdomen de la mère, elle augmente son confort. Dans le bain, la mère dispose d'un petit moment de répit ; elle ressent généralement moins l'intensité des contractions. Si l'eau la soulage, elle peut tenter d'y rester le plus longtemps possible, mais elle ne doit pas s'étonner de sentir davantage le poids de son ventre et la douleur des contractions en sortant de l'eau.

Truc pour le conjoint ou la personne accompagnatrice : Demandez à l'infirmière d'avoir accès au bain au sein de la maternité s'il n'y en a pas un dans votre chambre. Tamisez ensuite la lumière de la pièce où se trouve le bain. Assurez-vous que la température de l'eau n'est pas trop chaude ni trop froide. Vous pouvez placer un oreiller enveloppé d'une serviette sur le bord du bain. La mère pourra y déposer sa nuque et sa tête et tenter de sommeiller.

8. Les compresses d'eau chaude et d'eau froide

Les compresses d'eau chaude apportent généralement une sensation d'apaisement et contribuent au relâchement des tensions.

Les compresses d'eau froide peuvent rafraîchir la mère.

Truc pour le conjoint ou la personne accompagnatrice : Appliquez des compresses d'eau chaude sur le front de la mère, ou déposez un « sac magique » dans le bas de son dos. Notez que certaines femmes aiment s'humecter les lèvres pour se rafraîchir. D'autres aiment recevoir des compresses d'eau froide sur le visage ou dans le cou quand elles sont en sueur, surtout au moment de l'expulsion du bébé.

9. Les positions verticales

La plupart des positions expliquées à la page 146 pendant le travail favorisent un étirement des muscles du dos. Elles soulagent ainsi un peu la douleur, en particulier au niveau lombaire. Elles permettent une respiration libre, une ouverture du bassin et un relâchement des muscles du périnée. Elles mettent aussi à profit la gravité, pour favoriser la descente du bébé dans le bassin.

Truc pour le conjoint ou la personne accompagnatrice : Aidez la mère à adopter les positions présentées à la page 146.

Question de parents

Est-il possible d'accoucher dans l'eau ?

Les hôpitaux du pays ne sont pas équipés pour que les femmes puissent pousser leur bébé dans un bain. Toutefois, la mère pourra se détendre dans un bain pendant le travail.

Si elle accouche en maison de naissance ou à la maison, elle pourra expulser son bébé dans l'eau, si tel est son désir et que son accouchement se déroule sans complications.

10. Le rire

Le rire oxygène l'organisme, augmente la capacité respiratoire en faisant travailler le diaphragme et réduit les tensions musculaires. De plus, il plonge la mère et son entourage dans un esprit festif.

Truc pour le conjoint ou la personne accompagnatrice : Faites rire la mère. Vous pouvez aussi apporter un lecteur de DVD portatif pour lui présenter un spectacle de son humoriste préféré.

11. Le repos entre les contractions

Le moment entre les contractions, même si l'intervalle est court, doit être dédié à la mère. Elle peut fermer les yeux, respirer profondément et se coucher sur le côté gauche, en mettant un oreiller entre ses jambes. Le repos amène de nombreux bienfaits. Une microsieste de 5 à 10 minutes permet notamment de lui redonner de l'énergie et d'alléger son stress. La mère qui se reposera tout au long de son travail, entre les contractions, conservera plus facilement son énergie en vue de l'expulsion du bébé et des premières heures passées avec lui.

Truc pour le conjoint ou la personne accompagnatrice : Reposez-vous avec la mère entre les contractions. Sachez vous arrêter, tous les deux ; misez sur le silence pour arriver à vous détendre.

12. Le regard et le soutien émotif

Il est probable que la mère se sente découragée à un certain moment pendant l'accouchement. Tout soutien émotif l'aidera à retrouver le moral.

Truc pour le conjoint ou la personne accompagnatrice : Installez-vous calmement devant la mère, regardez-la dans les yeux et respirez avec elle lors d'une contraction. Encouragez-la en lui disant des phrases comme : «Tout va bien, on fait équipe ensemble.» La mère devrait ainsi se sentir moins seule dans l'expérience de l'enfantement et avoir plus confiance en ses capacités.

13. Boire, manger et sucer des glaçons

S'il n'y a pas de complications, il est recommandé de manger et de boire pendant le travail pour éviter une perte d'énergie et une déshydratation. Les glaçons ou jus de fruits congelés ont aussi l'avantage de détourner l'attention de la douleur.

Truc pour le conjoint ou la personne accompagnatrice : Rappelez à la mère de grignoter régulièrement (ex.: des fruits frais, comme du melon d'eau et des bananes), de boire de l'eau et des jus de fruits entre les contractions. Pendant les contractions, elle peut aussi sucer des glaçons, des «popsicles» aux fruits ou des raisins congelés.

Mise en forme

Exercice de relaxation à effectuer entre les contractions

Voici un exercice que la mère peut effectuer entre deux contractions. Son partenaire ou une personne accompagnatrice lui indique la marche à suivre et la guide dans ses mouvements en prononçant les paroles suivantes :

- « Viens, je vais t'aider à t'allonger confortablement sur le lit, du côté gauche. Soulève ta jambe droite et replie-la vers ta poitrine. Nous allons mettre un oreiller pour maintenir ta jambe légèrement surélevée et deux autres oreillers pour soutenir ta nuque. »
- « Maintenant que tu es installée confortablement, prends de longues et profondes respirations à quelques reprises, puis laisse aller ta respiration de manière naturelle. »
- « Imagine que tous les membres de ton corps deviennent lourds et chauds. Imagine particulièrement que ton bassin, ta poitrine et ton dos se relâchent et se remplissent de lumière. »
- « Relâche ensuite toutes les tensions de ton visage et visualise l'image de ton choix qui te rapproche de ton bébé, ou laisse-toi porter par la relaxation. Laisse le calme et la paix t'envahir… »

J. L.

de l'accompagnante

Se faire plaisir !

Le travail de l'accouchement annonce un événement heureux. Dans cet esprit, pensez à une activité ou à une idée plaisante en vue de l'accouchement. Le futur papa peut même réserver une surprise à sa conjointe. Au cours des dernières années, les accompagnantes du centre de maternité Mère et monde ont vu des parents ayant stimulé leur imagination en ce sens. Voici trois idées originales ayant fait le bonheur de femmes en travail :

- Un homme a demandé sa partenaire en mariage ;
- Un homme s'est déguisé en clown pour faire rire sa partenaire ;
- Une mère épicurienne a installé une table de nourriture devant elle pour se rappeler le plaisir de la bonne chère et avoir de bonnes collations à portée de la main.

N'hésitez pas à imaginer encore d'autres moyens. Vous êtes les seules personnes à connaître les façons de procurer un apaisement optimal à la mère.

Truc pour le conjoint ou la personne accompagnatrice : Trouvez une idée surprise que vous garderez secrète jusqu'au jour J.

14. Parfumer l'oreiller de la mère

En aromathérapie, les huiles essentielles de lavande et de fleur d'oranger sont reconnues pour leurs bienfaits apaisants. Vous pouvez en déposer quelques gouttes sur l'oreiller pour apaiser la mère, voire lui donner l'impression de se retrouver dans un champ de lavande ou de fleurs. Toutefois, sachez que certaines odeurs peuvent l'incommoder.

Truc pour le conjoint ou la personne accompagnatrice : Demandez à la mère, à quelques reprises pendant le travail, si elle a envie de sentir une huile essentielle ou tout autre parfum qui pourrait l'apaiser. Il n'est toutefois pas recommandé d'appliquer directement l'huile essentielle sur la peau.

Les pères s'évanouissent lorsqu'ils voient leur conjointe en travail actif.

Si les parents ont reçu une préparation prénatale adéquate, il est rare que les pères s'évanouissent pendant le travail actif. Le fait de comprendre les façons de faire de l'hôpital, les interventions médicales et le déroulement du travail (voir les cours 2 et 5) les met généralement en confiance. Si le père a peur de voir du sang, il peut demeurer aux côtés de sa partenaire lors de l'expulsion du bébé. S'il est effrayé par l'aiguille de l'anesthésiste, il est préférable qu'il sorte de la chambre lors de la pose de l'analgésie péridurale.

Info nutrition

Six trucs pour prévenir l'insomnie

Si la mère arrive à bien dormir pendant la grossesse, elle sera plus en forme pendant l'accouchement et elle devrait mieux vivre la douleur.

- Ne pas ingérer d'aliments NI boire des breuvages stimulants (ex.: café, thé, chocolat et boissons gazeuses de type cola) en fin d'après-midi et en soirée.
- Réduire sa consommation de liquides en soirée afin d'éviter d'aller aux toilettes pendant la nuit. Par contre, il est important de s'hydrater suffisamment durant la journée.
- Ne pas se coucher l'estomac vide. La faim ou les nausées peuvent empêcher la femme enceinte de bien dormir. La mère peut manger une collation nutritive (ex.: un bol de céréales avec du lait, un yogourt ou quelques craquelins et morceaux de fromage) avant d'aller au lit, ou suivre les conseils pour prévenir les nausées, donnés à la page 36.
- Prendre un repas léger au souper, sans aliments gras, acides ou épicés. Il faut s'assurer que l'heure du repas n'est pas trop près du moment du coucher pour prévenir un reflux gastrique pouvant causer de l'insomnie. Vous pouvez aussi suivre les conseils pour prévenir le reflux gastrique donnés à la page 36.
- Éviter l'alcool et le tabac, qui perturbent le sommeil.

M. L.

Question de parents

Les pères oublient-ils parfois les trucs pour accompagner leur partenaire durant l'accouchement?

La plupart des pères arrivent à se souvenir des outils appris dans les cours prénataux. Mais certains d'entre eux sont plus nerveux que d'autres pour accompagner leur partenaire, tout au long de l'accouchement, ou oublient certaines notions. Passer de la théorie à la pratique n'est pas toujours évident! Si le père ressent le besoin d'être lui aussi soutenu pendant l'accouchement, il peut faire appel aux services d'une accompagnante à la naissance. Elle peut lui prodiguer des conseils, en fonction des besoins de la mère, pour optimiser sa participation. Elle peut répondre aux questions, tout en veillant sur l'intimité des parents dans la salle d'accouchement.

De la théorie à la pratique

> Vous trouverez toutes les activités de ce livre sur le site mereetmonde.com

La lecture de ce troisième cours vous a certainement rendus davantage confiants face à la douleur de l'accouchement. Voici deux activités pour boucler la boucle. Au besoin, vous pourrez les consulter lors de l'accouchement.

ACTIVITÉ 1 : LA RÉFLEXION SUR LA DOULEUR, PRISE 2

À la page 89, il vous a été suggéré d'entamer une réflexion sur la douleur. Il peut s'avérer utile de le refaire afin de vérifier si votre perception s'est transformée par la lecture de ce cours.

Marche à suivre

1. **Individuellement et sans vous consulter, posez-vous la question suivante : « À quels mots me fait penser spontanément le terme *douleur* en général, sans qu'il soit nécessairement lié à l'accouchement ? »**

a) Réponse de la future mère :

_____

_____

_____

_____

b) Réponse du futur père :

_____

_____

_____

_____

2. Partagez ensemble vos réponses respectives et entamez la discussion.
Est-ce que vos mots ont toujours une connotation négative comme « Aïe ! », « Mal », « Sang », « Panique », « Rouge » et « Évanouissement » ? Si tel est le cas, acceptez vos réponses ainsi que les peurs qui y sont rattachées. Permettez-vous d'exprimer vos appréhensions. Vous ne pouvez pas nécessairement changer votre perception de l'accouchement du jour au lendemain. Toutefois, au fil des prochaines semaines, vous disposerez de temps pour

apprivoiser la douleur. La lecture des cours suivants et le fait d'assister à des cours prénataux devraient aussi vous rendre plus confiants. Au besoin, parlez de vos peurs à votre médecin ou à l'animatrice de vos cours prénataux. Au contraire, si vous avez inscrit des mots tels que « Passage », « Naissance de notre enfant », « Relaxation », « Force », il se peut que votre perception de la douleur se soit modifiée de manière favorable ou qu'elle soit restée positive. Si c'est le cas, tentez de conserver cet état d'esprit au moment de l'accouchement.

ACTIVITÉ 2 : LA PRÉPARATION DE VOTRE BOÎTE À OUTILS

A. Aide-mémoire de trucs pour le père ou la personne accompagnatrice pendant le travail

Cochez les méthodes qui vous interpellent :

1. La détente, le relâchement musculaire du corps et la respiration (p. 98) ○
2. Détourner l'attention de la douleur (ex.: porter son attention sur de la musique
    ou un massage) (p. 99) ○
3. La visualisation ou l'autohypnose (ex.: une image mentale du bébé qui descend
    dans le bassin) (p. 99) ○
4. Le langage positif (ex.: « Tu es calme et confiante. ») (p. 100) ○
5. Le massage (p. 101) ○
6. La stimulation des points d'acupression (enseignée dans la méthode Bonapace)(p. 101) ○
7. Le bain chaud (p. 101) ○
8. Les compresses d'eau chaude et d'eau froide (p. 101) ○
9. Les positions verticales (p. 101) ○
10. Le rire (p. 102) ○
11. Le repos entre les contractions (p. 102) ○
12. Le regard et le soutien émotif (p. 102) ○
13. Boire, manger et sucer des glaçons (p. 102) ○
14. Parfumer l'oreiller de la mère (p. 104) ○

B. Lettre de la mère au père ou à la personne accompagnatrice

Futur père de notre enfant ou _____ ,

Lors de la naissance de notre petit chéri / petite chérie, tu me ferais plaisir ou tu m'aiderais par les moyens suivants :

_____

_____

_____

Il serait mieux d'éviter d'essayer les méthodes ou façons de faire suivantes:

_____

_____

- Planifiez vos congés parentaux pour vous assister l'un l'autre au cours des premières semaines de vie de votre enfant;
- Répartissez dès maintenant les tâches ménagères entre vous pour les premières semaines de vie de votre enfant; cela vous fera gagner du temps, particulièrement une fois l'enfant né. Au besoin, prévoyez faire appel à une personne de l'extérieur pour l'entretien ménager de votre maison;
- Entamez la discussion avec les membres de votre entourage au sujet de l'assistance qu'ils peuvent vous accorder lors des premières semaines suivant votre accouchement. Seront-ils disponibles pour vous aider, à l'occasion, dans la logistique de la maison, comme la cuisine, la vaisselle et les courses au supermarché? Se sentent-ils à l'aise de vous soutenir quant à certains soins à prodiguer à l'enfant? Pour mieux vous organiser, faites l'activité à ce sujet à la page 126. Au besoin, rencontrez à l'avance une accompagnante spécialisée dans l'aide à domicile. Elle pourrait s'avérer utile si vos nuits blanches vous épuisent;
- Dans le cadre de votre *shower* de bébé (s'il y a lieu), considérez de demander en cadeau des coupons de services à vos amis (ex.: une séance de massothérapie pour vous aider à récupérer de l'accouchement, de l'aide à l'allaitement de la part d'une amie qui a déjà donné le sein à son enfant, une séance de gardiennage, des plats préparés à l'avance, etc.) Une fois votre enfant né, vous raffolerez sûrement de ce type d'attentions. Elles vous donneront l'occasion de vous reposer et d'être davantage disponibles pour votre bébé;
- Concoctez vos plats favoris à l'avance en vue de la période postnatale, où vous n'aurez pas toujours l'énergie ni le temps de cuisiner. Truc pratique: lorsque vous cuisinez dans votre vie de tous les jours, préparez plus de nourriture, que vous préserverez en conserves ou au congélateur.

PRÉPARER SES VALISES EN VUE DE L'ACCOUCHEMENT

Parallèlement aux préparatifs pour la période postnatale, il est recommandé de préparer à l'avance les valises pour l'hôpital. Plus rapidement elles seront bouclées (idéalement vers la 34e semaine de gestation), plus vite vous aurez la tête tranquille. Consultez la liste suivante pour vous aider à les planifier.

Suggestions d'articles à mettre dans la valise de la mère

- Vêtements amples, confortables et foncés (en cas de taches), qui ne donnent pas l'impression d'être malade et qui peuvent remplacer la jaquette d'hôpital;

Conseil pour les couples

Être parents ensemble

Dans la société québécoise, au cours des dernières décennies, la définition du rôle du père a beaucoup changé. Par le passé, être un bon père était synonyme d'être un bon pourvoyeur sur le plan financier. Cette définition s'est diversifiée; il est maintenant répandu de voir le père comme étant aussi un donneur de soins. Ainsi, en fonction de vos valeurs, il est recommandé de réfléchir à la manière dont vous envisagez d'être parents. Entamez la communication dans votre couple en ce sens.

J. B. et M. B.

- Bas chauds foncés pour l'accouchement. Évitez la couleur blanche, qui est salissante ;
- Serviettes hygiéniques à haut taux d'absorption ;
- Sac à eau chaude (bouillotte) ou « sac magique » ;
- Huile de pépins de raisin ou toute autre huile de massage sans parfums artificiels ;
- Balles de tennis pour masser le sacrum de la mère ;
- Baladeur numérique (ex.: iPod) avec de petits haut-parleurs, ainsi qu'une sélection musicale ;
- Veilleuse (notez que les bougies ne sont pas permises à l'hôpital) ;
- Trois oreillers (en plus de celui fourni par l'hôpital, que la mère pourra mettre entre ses jambes) et un ensemble de draps. Les oreillers provenant de la maison serviront au confort de la mère et du père (ex.: pour appuyer votre tête lors des périodes de repos). La literie servira au père, qui pourra se reposer sur un lit d'appoint, au moment approprié. Vos propres oreillers et literie vous rappelleront aussi l'odeur de votre maison et pourront réconforter la mère pendant le travail ;
- Photos de voyage ou de paysages pour aider à la visualisation, ou tout autre élément vous rappelant l'intimité de votre maison (ex.: un bouquet de fleurs) ;
- Appareils photo et vidéo ;
- Lunch santé pour la mère et le père ;
- Vêtements pour la mère, le père et le nouveau-né durant le séjour (entre deux et quelques jours, s'il y a des complications). La mère doit sélectionner des vêtements qu'elle portait lorsqu'elle était enceinte de six mois ;
- Sac complet de couches jetables pour bébé (si vous voulez utiliser des couches lavables, conservez-les plutôt pour votre retour à la maison) ;
- Plan de naissance ;
- Numéros de téléphone importants ;
- Monnaie pour les distributrices de boissons et de nourriture ;
- Bouchons pour les oreilles (pour la mère et le père), pour minimiser les bruits ambiants au moment de dormir ;
- Ventilateur pendant l'été ;
- Siège d'auto ;
- Cet ouvrage ;
- Et surtout, beaucoup de patience !

LA LAYETTE DE BASE DE BÉBÉ

Voici ce dont votre bébé devrait avoir besoin au cours de ses trois premiers mois de vie. Évidemment, son poids de naissance et son rythme de croissance peuvent faire en sorte que ces vêtements durent plus ou moins longtemps, mais ça vous donnera une idée, en résumé, de ce qui est nécessaire :

- De quatre à six camisoles (0-3 mois) s'attachant à l'avant ;
- Trois dormeuses, qui recouvrent complètement les pieds de bébé, puisque le bas s'apparente à une « poche ». Ce type de vêtement possède aussi des manches longues avec des poignets qui se retournent et qui permettent de garder les mains au chaud et d'éviter que bébé se blesse avec ses ongles ;
- Sept paires de bas ;
- Deux chandails chauds pour la saison froide ;
- Quatre ou cinq pyjamas (0-3 mois). Lorsque le pyjama est un peu grand, mettez de petites chaussettes par-dessus. Elles garderont les pieds de bébé au chaud ;
- Un ou deux bonnets de petite taille ;
- Un habit chaud pour l'extérieur et une paire de mitaines avec attaches (selon la saison) ;
- Sept bavettes ;
- De quatre à sept petites couvertures de coton (pratiques pour emmailloter un bébé) ;
- Trois draps-housses (« contours ») pour le lit de bébé ;
- Quatre piqués ;
- Une couverture lavable pour le lit de bébé ;
- Une couverture pour le landau ;
- Trois serviettes avec un capuchon ;
- Quinze débarbouillettes de coton.

DES VISITES MÉDICALES PLUS RAPPROCHÉES

Vers 34 semaines de grossesse, ayant suivi les conseils du présent ouvrage, vous êtes prêts à accueillir votre petit trésor à la maison. Il ne vous reste possiblement plus que quelques emplettes à effectuer, que ce soit pour les valises, la chambre du bébé ou encore pour garnir votre garde-manger d'aliments non périssables. Le sprint final de la grossesse touche à sa fin! Les rencontres prénatales de la mère chez son médecin, qui ont lieu sur une base mensuelle jusqu'à 28 semaines et sur une base bimensuelle jusqu'à 36 semaines, seront maintenant d'une cadence d'une fois par semaine en moyenne.

La fréquence des visites médicales dépendra de l'état de santé de la mère et du bébé, ainsi que des habitudes de son médecin. Ce type de rencontres permet de dépister tout risque de complications en cours de grossesse, ou tout simplement de suivre le cours normal de la grossesse. Profitez de ces rendez-vous pour soumettre votre plan de naissance à votre médecin, si cela n'est pas déjà fait, et de vérifier l'état du col utérin (ex.: la dilatation expliquée à la page 120). Il est aussi recommandé de prévoir avec votre médecin votre moyen de contraception en vue de la période postnatale. Avec un jeune bébé, fatigués par ses réveils fréquents, vous n'aurez pas nécessairement l'énergie ni le temps de planifier la contraception et d'aller

Avis du médecin

Connaissez-vous l'infection à streptocoques du groupe B (SGB)?

Les streptocoques du groupe B sont des bactéries communes retrouvées dans le vagin, le rectum et la vessie des femmes. De 5 à 40% des femmes enceintes en sont porteuses, ce qui peut occasionner des infections urinaires ou utérines, mais la grande majorité des femmes ne ressentent aucun symptôme. Elles ont toutefois un risque accru d'accouchement prématuré. Dans la moitié des cas, il peut aussi y avoir une transmission au bébé, pendant le travail ou après avoir crevé les «eaux». Sans antibiotique pendant le travail chez une mère porteuse des SGB, de 1 à 2% des bébés développeront une infection à SGB au cours de leur première semaine de vie. Le bébé peut alors avoir une infection du sang, une pneumonie ou une méningite. Il est donc recommandé de faire une culture vaginale et anale à toutes les femmes enceintes entre la 35ᵉ et la 37ᵉ semaine de grossesse et de traiter les mères porteuses avec de la pénicilline intraveineuse durant le travail. Cela

diminue de 85% les risques d'une infection à SGB précoce. Soyez rassurés, l'équipe médicale saura prévenir et surveiller de très près toute complication du genre.

Le risque d'une infection à SGB précoce augmente entre autres lors d'une naissance prématurée, d'une rupture prématurée ou prolongée des membranes amniotiques, de fièvre au cours du travail, si la mère a présenté une bactériurie à SGB durant la grossesse ou encore si elle a déjà accouché d'un bébé qui a souffert d'une infection à SGB. En fait, ces deux derniers facteurs de risque sont si importants que les mères concernées seront traitées d'emblée à la pénicilline pendant le travail, sans qu'il soit nécessaire de leur faire de culture vaginale ou anale. Si vous avez des questions ou des inquiétudes concernant les SGB, n'hésitez pas à en parler à votre médecin.

J. C.

L'allaitement est-il un moyen contraceptif fiable ?

L'allaitement maternel peut avoir un effet contraceptif jusqu'à 6 mois après l'accouchement, avec un risque de grossesse de 2 %, mais seulement si toutes les conditions suivantes sont réunies :

- La mère allaite exclusivement son enfant de jour et de nuit (de 6 à 10 tétées par jour au minimum). Le bébé boit toujours au sein de la mère et jamais au biberon. Il ne mange pas encore d'aliments solides ;
- La mère ne dépasse jamais un délai de 4 heures, le jour, et de 6 heures, la nuit, sans l'allaiter ;
- La mère n'a aucun retour de règles.

À savoir : Si vous ne respectez pas toutes ces conditions, si vous réduisez la fréquence et la durée des tétées (voir la page 166), si votre bébé est âgé de 6 mois et plus ou si vous n'êtes pas à l'aise avec le risque de grossesse de 2 %, songez à vous protéger avec un autre moyen de contraception[1].

Il n'est pas idéal de vivre deux grossesses rapprochées, car elles peuvent augmenter les risques de fatigue, de dépression postnatale et de conflits dans le couple. Il est habituellement recommandé d'attendre 12 mois avant une nouvelle grossesse. Toutefois, chaque couple a des besoins différents.

Si vous optez pour un moyen contraceptif conventionnel, comme la pilule anovulante, vous devrez utiliser une pilule à progestérone seulement pendant l'allaitement. Celle-ci nuit moins à la production lactée que les pilules contraceptives régulières. Elle doit être commencée 3 à 6 semaines après l'accouchement et est efficace 48 heures après le début de la prise. Pour une protection maximale, la mère devra la prendre à une heure quotidienne fixe.

Si la mère n'allaite pas, il est recommandé d'attendre au moins 6 semaines après l'accouchement, soit au moment du retour de couche (les premières règles après l'accouchement ; elles sont généralement plus longues et plus abondantes que les règles normales) avant de commencer à prendre un anovulant conventionnel. Il faudra environ 7 jours pour qu'il soit pleinement efficace, si la posologie est respectée.

N'hésitez pas à discuter de la contraception avec votre médecin. Ce dernier pourra entre autres vous renseigner sur les solutions de remplacement à la pilule anovulante : condom pour homme ou pour femme, stérilet, diaphragme, méthode sympto-thermique, etc. Pour en savoir plus à ce sujet, vous pouvez aussi visiter le site Internet : www.masexualite.ca.

Doit-on faire des exercices de Kegel en fin de grossesse ?

Le périnée, groupe de muscles et de ligaments qui ferment le petit bassin et qui s'étirent de l'os pubien jusqu'au coccyx, joue un rôle important dans la continence urinaire et dans la sexualité. Le poids des organes que soutient le périnée augmente pendant la grossesse. De plus, sous l'effet d'une hormone, la relaxine, les ligaments s'étirent.

Ces transformations physiologiques peuvent affaiblir le plancher pelvien et entraîner des pertes urinaires lors d'un simple effort (ex. : à l'occasion d'une toux)[2] et des pertes de sensations sur le plan sexuel. Toutefois, l'affaiblissement du plancher pelvien est généralement moins important lors d'une première grossesse. À quelques reprises pendant la grossesse, la mère peut effectuer des exercices de Kegel (voir la page 188). Pour prévenir des déchirures lorsque la mère poussera son bébé, il est aussi fortement recommandé d'effectuer le massage d'assouplissement du périnée expliqué à la page 127.

consulter votre médecin à ce sujet, mais vous aurez peut-être repris des rapports intimes environ trois à six semaines après l'accouchement, entre autres une fois que les pertes sanguines qui suivent l'accouchement (lochies) seront terminées (environ quatre à six semaines après la naissance du bébé). Cependant, chaque couple reprend sa vie sexuelle au moment qui lui convient.

PRENDRE CONGÉ AVANT L'ACCOUCHEMENT

Le boulot, les obligations quotidiennes, les préparatifs en vue de la naissance de votre enfant et les multiples visites médicales vous ont tenus occupés tout au long de la grossesse et vous vous sentez un peu à bout de souffle ? S'il est possible pour la mère de prendre un congé aux alentours de la 34e semaine de grossesse, elle pourrait en profiter pour se faire dorloter.

Que vous demeuriez à la maison ou que vous louiez une chambre dans une auberge en amoureux pendant quelques jours, dans la même région que votre hôpital,

profitez-en pour penser à vous. Ne vous culpabilisez pas de paresser au lit ou de ne rien faire. Si votre budget ne vous permet pas de vous offrir un séjour romantique, une sortie hors de l'ordinaire (ex. : soirée au théâtre) ou une balade à la belle étoile en amoureux pourrait être une option attrayante pour vous changer les idées. Il n'y a pas de mal à en profiter un peu avant la naissance de votre bébé ! Par ailleurs, que diriez-vous de vous faire masser, ou encore de savourer un chocolat chaud dans votre café de quartier préféré ? D'aller voir un film au cinéma ou de vous plonger dans la lecture d'un roman ? De vous prélasser dans un bain, d'aller nager et marcher ? Ne l'oubliez pas : penser à soi permet de mieux donner aux autres.

À QUEL MOMENT BÉBÉ VA-T-IL SE POINTER LE BOUT DU NEZ ?

Lors des dernières semaines de grossesse, peu importent les activités effectuées pour se reposer et se divertir, la

Info nutrition

Menu épicurien pour changer les idées des parents

En fin de grossesse, il est souhaitable de prendre soin de soi et de son couple avant l'arrivée du bébé. Voici un menu santé facile à digérer qui fait plaisir aux papilles gustatives. Pour briser la routine, dressez une table d'amoureux et profitez de ces moments en tête-à-tête !

Cocktail sans alcool

Mojito aux fraises et à la menthe (eau gazeuse nature mélangée avec quelques fraises broyées avec de la glace, un peu de menthe, du jus de citron vert et du sirop d'érable)

Repas

* Pétoncles poêlés au citron et au basilic frais
* Riz aromatisé au safran
* Asperges, poivrons rouges et oignons rouges sautés à l'huile d'olive

Dessert

* Fondue au chocolat avec fruits frais (bananes, mangues, fraises et cantaloup)

Délectez-vous !

M. L.

Mythe

?!

Les femmes accouchent à leur date prévue ou avant.

Ce mythe a particulièrement la peau dure. La date prévue d'accouchement peut même créer chez certaines mères l'impression qu'elles ont une « date limite » pour accoucher, après laquelle elles s'inquiètent. Quelquefois, elles subissent les commentaires des personnes de leur entourage parce qu'elles n'ont pas encore accouché. Il est donc essentiel que vous vous prépariez mentalement dès maintenant à la possibilité que vous ne donniez pas naissance à la date prévue. Votre bébé naîtra quand il le décidera ; vous n'avez malheureusement aucun contrôle sur la date. Il est recommandé de lâcher prise à ce sujet.

mère pourrait n'avoir qu'une idée en tête : accoucher le jour de sa date prévue d'accouchement (DPA). La DPA a été calculée à partir de ses dernières règles (voir la page 39) ou selon les échographies de la grossesse. Cependant, il est fort possible qu'elle n'accouche pas cette journée-là, surtout que les méthodes de calcul de la DPA peuvent comporter une marge d'erreur de quelques jours.

Ne soyez donc pas inquiets si votre enfant n'est pas encore né à cette date. En effet, un bébé est considéré comme à terme lorsqu'il naît entre 37 et 42 semaines de gestation. L'accouchement peut avoir lieu à n'importe quel moment pendant cette période et même avant ! Si quelques parents sont surpris de voir naître leur enfant à 32 semaines de grossesse, d'autres sont étonnés qu'il tarde à naître après 41 semaines.

FAVORISER LE TRAVAIL NATURELLEMENT

Si la dilatation du col utérin de la mère n'est pas encore commencée vers 39 semaines de grossesse, après vérification, à la suite d'un toucher vaginal effectué par son médecin (voir la page 120), vous pourrez donner un petit coup de pouce à la nature. Essayez, parmi les suggestions suivantes, celles avec lesquelles vous vous sentez à l'aise. Discutez-en au préalable avec votre médecin.

Mise en forme

Muscler les jambes en vue de l'accouchement

Pendant l'accouchement, la mère sera encouragée à se tenir debout le plus possible pour profiter de la force de gravité et favoriser la descente de son bébé dans le bassin. En prévision de cet effort, en fin de grossesse, elle peut muscler ses jambes. Voici un exercice à effectuer sur une base quotidienne.

Marche à suivre

1. Placez-vous debout, les mains sur le dossier d'une chaise, les pieds à la largeur des hanches.
2. Basculez le bassin vers l'arrière, tout en pliant les genoux lentement, de manière à contrôler votre descente, sans mouvements brusques.
3. Remontez doucement vos jambes pour ramener votre bassin à sa position initiale.
4. Répétez cette séquence à quatre reprises.
5. En ayant toujours les mains sur le dossier de la chaise, les pieds à la largeur des hanches, basculez de nouveau le bassin vers l'arrière, tout en pliant les genoux lentement, de manière à contrôler la descente, sans mouvements brusques.
6. Gardez les genoux pliés sur une période de trois temps, puis remontez doucement vos jambes pour ramener le bassin à sa position initiale.
7. Répétez cette seconde séquence à quatre reprises.

J. L.

L'exercice physique pour mettre à profit la force de gravité

En fin de grossesse, lorsque la mère se tient debout, peu importe son activité, la force de gravité travaille, encourageant le bébé à descendre dans le bassin. Le poids de la tête du bébé qui pèse sur le col de l'utérus peut favoriser la dilatation du col. Pendant la grossesse, l'activité physique n'augmente toutefois pas les risques d'accoucher de manière prématurée, à moins d'une contre-indication médicale.

Faire l'amour

L'acte sexuel ainsi que la stimulation des mamelons favorisent la sécrétion naturelle d'ocytocine, qui peut induire quelques contractions utérines tout au long de la grossesse, ce qui est habituellement sans danger, à moins d'avoir des contre-indications médicales ou un risque d'accouchement prématuré (voir la page 79). En fin de grossesse, puisque le corps de la mère libère plus d'hormones en vue de l'accouchement, faire l'amour peut provoquer le travail naturellement. La prostaglandine contenue dans le sperme peut aider le col utérin à devenir mou, à élargir et à raccourcir. Toutefois, rien n'est garanti et il est important que vous vous sentiez à l'aise de faire l'amour, de part et d'autre.

L'acupuncture, la chiropractie et l'ostéopathie

Sans faire de miracles, ces thérapies pourraient favoriser une stimulation naturelle du travail au cours des jours avoisinant la date prévue d'accouchement. Cependant, il est recommandé de commencer ce type de traitement avant 38 semaines pour optimiser son efficacité, et de choisir un intervenant formé pour traiter les femmes enceintes. Votre médecin ou une accompagnante à la naissance peut vous conseiller en ce sens.

Clin d'œil de l'accompagnante

Une mère qui voulait tant accoucher !

Au cours des accompagnements que Sylvie Thibault a effectués durant sa carrière, elle a remarqué à quelques reprises que les mères qui désiraient contrôler la date de leur accouchement finissaient par avoir de la difficulté à amorcer leur travail. Toutefois, elle se souvient particulièrement de l'issue positive d'une grossesse, après avoir travaillé le lâcher-prise avec la mère en question. Elle raconte: «Enceinte de son troisième enfant, Karine avait fait appel à mes services pour tenter de prévenir une induction artificielle du travail. Lors de ses deux accouchements précédents, son travail ne s'était pas déclenché naturellement. Suivant mes conseils, en plus de travailler et de s'occuper de sa marmaille tout au long de sa grossesse, Karine a beaucoup marché. À la fin de sa grossesse, son col utérin était très favorable; elle avait déjà éprouvé plusieurs épisodes de contractions sans amorcer de véritable travail. Quelques jours avant ses 40 semaines de gestation, découragée, elle m'a appelée pour me dire qu'elle voulait retourner au boulot tellement l'accouchement tardait ! Je lui ai gentiment répondu qu'elle vivait trop dans l'attente; qu'elle devait se reposer, lâcher prise et se changer les idées (ex.: aller chez le coiffeur). Karine a cheminé en ce sens, et lors de sa date prévue d'accouchement, son travail a débuté naturellement.»

Devrait-on demander un «stripping» du col pour déclencher le travail naturellement ?

Si le col utérin de la mère est un peu dilaté et si tel est son désir, son médecin peut tenter de provoquer naturellement son travail par un «stripping» du col, après 40 semaines de grossesse. Pour y parvenir, il n'a qu'à introduire un doigt dans le col et à décoller les membranes de la paroi de l'utérus qui l'entourent. Chez certaines femmes, ce geste peut amener des contractions et faire démarrer le travail dans les jours suivants. Toutefois, chez d'autres, ces contractions sont inconfortables et inefficaces.

Le lâcher-prise mental et le repos

Il arrive que des mères essaient tous les conseils mentionnés ci-dessus, sans résultat. Cette situation s'explique par le fait qu'elles tentent de stimuler leur travail, alors que leur corps n'est pas encore prêt ou qu'elles sont trop dans l'attente d'un résultat. Que diriez-vous donc de tenter de lâcher prise quant au jour tant attendu ? Il est souhaitable que la mère détourne son attention de son désir d'accoucher. Dès que vous aurez terminé la lecture de cet ouvrage et vos cours prénataux (s'il y a lieu), ne vous renseignez plus sur l'accouchement. Considérez le repos et le divertissement comme vos meilleurs alliés !

DÉCLENCHER LE TRAVAIL ARTIFICIELLEMENT OU PAS

La plupart des établissements hospitaliers ont un protocole d'induction de l'accouchement à partir de 40 semaines et 10 jours. Pour s'assurer de maintenir la santé de la mère et de son bébé, son médecin peut, entre-temps, lui prescrire certains tests, comme l'examen de réactivité fœtale et le profil biophysique du bien-être fœtal. Ces examens permettent d'évaluer la pertinence ou non d'une induction, selon le profil de la mère, bien précisément. Pour connaître la nature de ces tests médicaux, parlez-en à votre médecin.

Selon la SOGC, un médecin peut envisager la possibilité d'un déclenchement du travail s'il juge que les avantages d'un accouchement surpassent les risques du déclenchement pour la mère et le fœtus. Les risques du déclenchement comprennent entre autres un taux accru de césariennes, si le col utérin n'est pas favorable[3]. Le déclenchement artificiel du travail ne doit donc pas être banalisé ou généralisé ; chaque femme possède sa propre histoire. Si, pour des raisons médicales, votre accouchement devait être provoqué (ex.: le prolongement d'une grossesse après 40 semaines et 10 jours, ou lors de complications comme l'hypertension de grossesse), discutez avec votre médecin des méthodes d'induction envisagées (voir la page 122). Rappelez-vous que l'issue de cette intervention médicale est d'avoir un bébé en santé. N'hésitez pas à communiquer vos peurs à votre médecin ou à une accompagnante à la naissance.

Si, au contraire, les tests effectués assurent la santé de la mère et de son bébé lorsque la grossesse se poursuit après la date prévue d'accouchement, il est recommandé de faire confiance à la nature, d'être patients et de dormir en paix. Le travail qui se déclenche naturellement permet une sécrétion optimale des hormones favorisant l'accouchement (voir la page 95).

Mythe

?!

Dès 39 semaines, il faut déclencher artificiellement l'accouchement si le bébé est de poids élevé.

Dans une telle situation, la vie de la mère et celle du bébé ne sont généralement pas en danger à la 39ᵉ semaine de gestation. Or, le déclenchement artifi- ciel d'un accouchement comporte des risques si le col n'est pas favorable, dont un risque plus élevé de césa- rienne[4]. Discutez de la question avec votre médecin.

LES TOUCHERS VAGINAUX

Avant le début du travail, le col utérin entame généralement sa maturation. Il commence à devenir mou, à élargir et à raccourcir. À partir de la 36e semaine de grossesse, et durant l'accouchement, le médecin effectue habituellement des touchers vaginaux qui le renseignent sur la dilatation et l'effacement du col utérin. Pendant la grossesse, ils permettent entre autres de vérifier si les conditions seraient favorables dans le cas d'un déclenchement artificiel du travail (voir l'information sur le score de Bishop à la page 121).

Vous pouvez consulter l'activité 1 à la page 123 pour noter, en fin de grossesse, les résultats de vos touchers vaginaux chez le médecin. Durant l'accouchement, les touchers vaginaux permettent de connaître l'évolution du travail. Au besoin, entamez la communication avec votre médecin ou une animatrice de cours prénataux pour mieux comprendre les explications suivantes.

La dilatation du col utérin

La dilatation du col utérin correspond à une ouverture graduelle du col de l'utérus. En fin de grossesse et pendant le travail, les contractions exercent une pression sur la tête du bébé, qui, à son tour, s'enfouit dans le col, forçant ainsi sa dilatation. Pendant l'accouchement, quand le diamètre du col atteint 10 cm, la dilatation est complète.

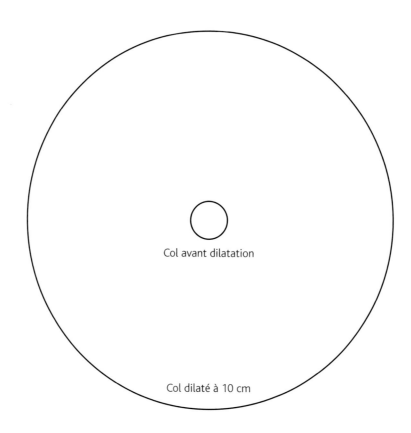

Col avant dilatation

Col dilaté à 10 cm

L'effacement du col utérin

Un col s'efface lorsqu'il s'amincit jusqu'à se confondre avec la forme de l'utérus (voir l'illustration suivante). On évalue son effacement en termes de pourcentage (de 0 à 100 %).

L'effacement et la dilatation du col utérin[5]

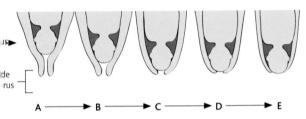

A: Col non effacé, longueur: 4 cm
B: Col partiellement effacé, longueur: 2 cm
C: Col complètement effacé
D: Col dilaté à 3 cm
E: Col dilaté à 8 cm

Les stations de la tête du bébé

Les stations se rapportent à la position de la descente de la tête du bébé dans le bassin de sa mère. Pour pouvoir naître, sa tête doit descendre dans le bassin, de la position - 4 à la position + 5. La station 0 se trouve au niveau des épines sciatiques, la partie la plus étroite du bassin (voir l'illustration ci-dessous). Le bébé est en position flottante quand il est au-dessus du niveau des épines sciatiques, vers la position - 4. Sa tête se fixe et ne remonte généralement plus dans le bassin lorsqu'elle se trouve entre les positions - 2 et 0 (selon le bassin de chaque femme).

Les stations de la tête du bébé[7]

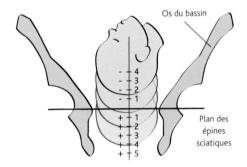

Le score de Bishop

Le score de Bishop est une méthode de calcul utilisée pour vérifier si les conditions sont favorables ou pas, avant le déclenchement artificiel d'un accouchement. Il tient compte de cinq éléments, avec pour chacun une cotation de 0 à 2: la dilatation du col, son effacement, sa consistance (ferme, moyenne, molle), sa position (postérieure, centrale, antérieure) et la hauteur de la tête fœtale par rapport au bassin (stations). Ces éléments sont additionnés et donnent un score compris entre 0 et 10. Plus le score est élevé, plus les conditions de déclenchement sont favorables[6].

Il arrive que le col utérin de certaines femmes (surtout celles qui ont déjà accouché par le passé) commence à se dilater et à s'effacer en fin de grossesse, avant le début du travail. Toutefois, même avec des résultats favorables au score de Bishop, il est impossible de prédire un accouchement imminent, d'éviter une induction médicale ou de prévoir l'issue de l'accouchement. Chaque femme connaît un scénario différent. Pour mieux comprendre le score de Bishop, posez des questions à votre médecin ou à une animatrice de cours prénataux.

LES INTERVENTIONS MÉDICALES POUR DÉCLENCHER ARTIFICIELLEMENT LE TRAVAIL

Si le médecin juge que le travail de la mère doit être provoqué de manière artificielle, il aura recours à une ou quelques-unes des méthodes qui suivent. En fonction du degré de maturation du col utérin de la mère, entamez la discussion avec votre médecin pour savoir quelle méthode est davantage indiquée. Le jour de l'induction médicale, la mère sera habituellement admise à l'hôpital durant une matinée ou en soirée, vos valises à la main, dans le but d'accoucher. Il se pourrait que vous deviez attendre quelques heures avant que le personnel médical ne déclenche le travail, ce dernier devant s'occuper des urgences en priorité.

La prostaglandine E2
Le professionnel de la santé peut tenter de faire mûrir le col utérin en y plaçant un tampon contenant des hormones de prostaglandine E2[8].

Le ballonnet
Le professionnel de la santé peut insérer, au centre du col utérin, un tube de caoutchouc, muni d'un ballonnet à son extrémité, qu'il gonflera pour favoriser la maturation du col[9].

La perfusion d'ocytocine synthétisée (Pitocin® et Syntocinon®)
Le professionnel de la santé peut avoir recours à ce type d'hormone de synthèse, injectée dans une veine du bras de la mère par l'entremise d'un cathéter, pour induire des contractions utérines (voir la page 60).

L'amniotomie (rupture artificielle des membranes [RAM])
Le professionnel de la santé peut introduire deux doigts dans le col de l'utérus de la mère jusqu'à ce qu'il touche aux membranes amniotiques. Il fait pénétrer un crochet et perce les membranes avec le bout de cet instrument. Lorsque la poche se rompt, le liquide amniotique s'écoule (voir la page 130). La tête du bébé appuie généralement de manière plus efficace sur le col, particulièrement si le score de Bishop (voir la page 121) est favorable. L'amniotomie (voir la page 59) est souvent combinée à la perfusion d'ocytocine synthétisée (Pitocin® et Syntocinon®), et le travail débute habituellement après.

De la théorie à la pratique

Vous trouverez toutes les activités de ce livre sur le site mereetmonde.com

Maintenant que vous avez obtenu l'information essentielle concernant la grossesse, vous pouvez faire les activités suivantes, en fonction de vos besoins et en prévision de la naissance de votre bébé.

ACTIVITÉ 1: LES RÉSULTATS DES TOUCHERS VAGINAUX EN FIN DE GROSSESSE

Lors des touchers vaginaux chez le médecin, à partir de la 36e semaine de grossesse, la mère peut noter les résultats suivants.

Date et nombre de semaines de grossesse (ex.: 8 avril 2015, 36 semaines)	Dilatation du col en centimètres (0 à 10 cm)	Effacement du col en pourcentage (0 à 100%)	Station du bébé dans le bassin (- 4 à + 5). Le bébé est-il fixé dans le bassin entre la station -2 et 0 ?

ACTIVITÉ 2 : PLANIFICATION POUR LE CONJOINT OU LA PERSONNE ACCOMPAGNATRICE EN VUE DE L'ACCOUCHEMENT

Pour alléger le stress du conjoint ou de la personne accompagnatrice en vue de l'accouchement, faites des recherches pour répondre aux questions suivantes.

A) Si vous avez des enfants, de quelle manière allez-vous les faire garder ? (Il est recommandé que la personne qui veillera sur vos enfants, tout au long de votre séjour à l'hôpital, les rencontre auparavant afin qu'ils se sentent à l'aise avec elle, le moment venu.)
Nom et numéro de téléphone : _____

_____

_____

B) Si vous avez des animaux de compagnie, qui en prendra soin ou viendra les nourrir ?
Nom et numéro de téléphone : _____

_____

_____

Est-ce que cette personne aura besoin de la clé de votre maison ? Si oui, où cette clé sera-t-elle placée ?

_____

C) Par quel moyen de transport allez-vous vous rendre à l'hôpital ?

_____

Si vous prenez votre voiture :

- Quel chemin mène à l'hôpital ? Où se trouve le stationnement de l'hôpital ?

_____

_____

- Quelle route secondaire prendre s'il y a des bouchons de circulation le moment venu ?

_____

_____

Si vous prenez un taxi : Inscrivez le numéro de téléphone que vous pourrez composer rapidement lorsqu'il sera indiqué de vous diriger vers l'hôpital.

_____

_____

_____

D) Si vous êtes seule, quelle personne vous accompagnera ?
Nom et numéro de téléphone : _____

_____

_____

_____

Il est recommandé de visiter l'hôpital avant l'accouchement. Notez ensuite les informations nécessaires (ex. : l'étage de la maternité).

ACTIVITÉ 3 : COUPONS-CADEAUX DE SERVICES

Faites des photocopies de ce type de coupon et donnez-les aux personnes de votre entourage, si vous le désirez.

Coupon-cadeau pour le service suivant (ex. : repas préparés à l'avance, aide à l'allaitement ou gardiennage d'enfants) _____

_____

_____

offert par _____

ACTIVITÉ 4 : PLANIFICATION DE L'AIDE DE PERSONNES-RESSOURCES EN VUE DE LA PÉRIODE POSTNATALE

Notez les nom et numéro de téléphone des personnes de votre entourage disponibles pour vous aider, en fonction de leurs habiletés. Photocopiez ensuite cette liste et placez-la sur votre frigo, bien en vue. Ainsi, vous pourrez joindre rapidement les personnes-ressources, en cas de besoin, une fois votre enfant né.

Nom : _____
Numéro de téléphone : _____
Aide proposée : _____
_____

Nom : _____
Numéro de téléphone : _____
Aide proposée : _____
_____

Nom : _____
Numéro de téléphone : _____
Aide proposée : _____
_____

Nom : _____
Numéro de téléphone : _____
Aide proposée : _____
_____

Nom : _____
Numéro de téléphone : _____
Aide proposée : _____
_____

Nom : _____
Numéro de téléphone : _____
Aide proposée : _____
_____

Nom : _____
Numéro de téléphone : _____
Aide proposée : _____
_____

Nom : _____
Numéro de téléphone : _____
Aide proposée : _____
_____

Nom : _____
Numéro de téléphone : _____
Aide proposée : _____
_____

Nom : _____
Numéro de téléphone : _____
Aide proposée : _____
_____

Nom : _____
Numéro de téléphone : _____
Aide proposée : _____
_____

Nom : _____
Numéro de téléphone : _____
Aide proposée : _____
_____

Nom : _____
Numéro de téléphone : _____
Aide proposée : _____
_____

Nom : _____
Numéro de téléphone : _____
Aide proposée : _____
_____

Nom : _____
Numéro de téléphone : _____
Aide proposée : _____

Nom : _____
Numéro de téléphone : _____
Aide proposée : _____

ACTIVITÉ 5 : LE MASSAGE DU PÉRINÉE

Même si peu d'études ont été effectuées à ce sujet, le massage du périnée pourrait aider à prévenir des déchirures et une épisiotomie lors de la période expulsive. Si vous désirez mettre toutes les chances de votre côté, le père peut masser le périnée de la mère, idéalement tous les jours, à raison de 5 à 6 minutes par jour, à partir de la 34ᵉ semaine de grossesse. L'exercice consiste à faire une pression sur les muscles périnéaux, de sorte que ceux-ci, au moment voulu, puissent mieux se relâcher et permettre plus aisément le passage de votre bébé. Lors du massage, il est recommandé d'utiliser un gel lubrifiant pour les relations sexuelles ou une huile de pépins de raisin (assurez-vous que la mère n'est pas allergique au produit utilisé). Ne pratiquez pas ce type de massage en cas de lésions d'herpès (une infection transmissible sexuellement [ITS]), si la mère a crevé ses « eaux » ou si elle risque d'accoucher prématurément. Consultez votre médecin avant de procéder à ce type de massage.

Marche à suivre pour la mère :
> Avant de commencer l'exercice, nettoyez la partie à masser, puis allongez-vous en position semi-assise contre les oreillers et détendez-vous. Tout au long du massage, assurez-vous de respirer lentement et détendez-vous.

Marche à suivre pour le père :
1. Au moment où votre partenaire est prête à commencer l'exercice, nettoyez-vous les mains, enduisez votre index et votre majeur d'huile de massage ou de gel lubrifiant pour relations sexuelles et découvrez les points à presser : (8 h, 6 h et 4 h) sur la paroi vaginale et les muscles périnéaux, à partir de l'image suivante :

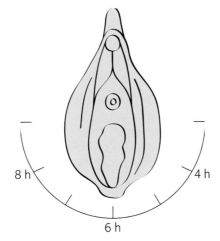

2. Insérez environ les trois quarts de votre index et de votre majeur dans le vagin de votre partenaire. Pressez doucement le point à 6 h sur la paroi vaginale et les muscles périnéaux pendant 30 secondes, puis le point à 4 h pendant 30 secondes.
3. Appuyez de nouveau sur le point à 6 h pendant 30 secondes, puis sur le point à 8 h pendant 30 secondes.
4. Répétez la séquence à quelques reprises. Vous pourrez augmenter la pression graduellement, au fil des jours. Les tissus et les muscles du périnée devraient s'assouplir.

Pour effectuer ce type de massage, vous pouvez consulter un acupuncteur ou un ostéopathe spécialisé pour les femmes enceintes. Par des manipulations ciblées, ils pourraient tenter d'assouplir le périnée. Pour avoir des références d'intervenants professionnels dans ces spécialités, parlez-en à votre médecin ou à l'animatrice de vos cours prénataux.

Cours 5

Bien comprendre les phases du travail et le jour de l'accouchement

près des mois d'attente, voilà que votre enfant pointera enfin le bout du nez! Dans la majorité des cas, le travail débute naturellement entre la 37e et la 42e semaine de grossesse. Cela se produit souvent durant la nuit, moment où la mère ne pense pas à accoucher et où elle est détendue. Si les contractions l'incommodent ou la surprennent de prime abord, elle aura le temps de les apprivoiser les unes après les autres pendant le travail. Si vous êtes à la maison et que le vrai travail est confirmé, plongez-vous dans votre « bulle », faites abstraction de tout ce qui se passe à l'extérieur, installez-vous bien confortablement et faites garder vos enfants, si vous en avez.

Durant chacune des contractions, la mère peut mettre en application les conseils du cours 3. Il est recommandé qu'elle arrête de penser à la suite des choses et de rationaliser les événements en cours. Elle doit essayer de demeurer dans le moment présent. Il est souhaitable qu'elle fasse confiance au père ou à toute autre personne accompagnatrice, qui prendra en charge l'aspect organisationnel de l'accouchement (ex.: la décision du moment du départ à l'hôpital [voir la page 134], le trajet pour s'y rendre [voir l'activité 2 à la page 124], etc.). Tout au long de l'accouchement, rappelez-vous que vous allez donner la vie. Si vous avez peur d'accoucher, la lecture du présent cours devrait vous rassurer.

LES SIGNES DU DÉBUT DU TRAVAIL

En début de travail, la mère pourrait ressentir des maux dans le bas du ventre et du dos (le bébé s'engageant de plus en plus dans le bassin). Il est possible qu'elle ait des pertes vaginales plus abondantes, quelquefois accompagnées de pertes sanguines, mais elle pourrait aussi perdre son bouchon muqueux (voir la page 132), crever ses « eaux » (voir la page 130) ou avoir la diarrhée. Les signes de début de travail peuvent différer d'une femme à une autre, mais une chose est certaine: toutes celles qui se trouvent dans un réel travail ressentent généralement des contractions plus ou moins douloureuses (similaires à des crampes menstruelles, mais plus fortes), assez courtes (généralement moins de 60 secondes dans les premières heures de l'accouchement), et à intervalles assez réguliers.

Au fil des heures, les contractions s'allongent, et sont à intervalles plus rapprochés; la douleur devient aussi de plus en plus vive et intense (à un point tel que la mère n'arrive plus à parler pendant la contraction).

Note importante: si vous avez des contractions à intervalles réguliers dont l'intensité augmente et qui sont de plus en plus douloureuses avant 37 semaines, appelez votre maternité sans tarder pour éviter un accouchement prématuré (voir la page 79).

Vraies ou fausses contractions ?

Les fausses contractions, aussi appelées contractions de Braxton Hicks, ne sont pas senties par toutes les mères. Elles se caractérisent par une tension passagère du muscle de l'utérus pendant la grossesse. Si la mère place ses mains sur son ventre, elle peut sentir son utérus se durcir. Ces fausses contractions causent habituellement de l'inconfort, mais elles ne sont pas nécessairement douloureuses. Elles peuvent survenir quelques fois par jour, tout au long de la grossesse. Elles s'arrêtent généralement lorsque la mère se repose. De plus, elles ne sont pas régulières, ou ne le sont que pendant de courts instants, et elles n'augmentent pas en intensité. Elles donnent à la mère l'occasion d'apprivoiser l'inconfort des contractions avant l'accouchement, surtout durant le dernier trimestre de grossesse. Si vous ressentez des contractions de Braxton Hicks, il est conseillé d'en parler à votre médecin lors de votre prochaine visite médicale.

Si la mère n'est pas certaine de vivre un vrai travail, elle peut s'étendre sur son lit sur le côté gauche (pour éviter de faire pression sur la veine cave, qui ramène la circulation sanguine du bas du corps vers le cœur) et tenter de se détendre. Si les contractions se poursuivent au cours de sa période de repos et qu'elles sont douloureuses, il est recommandé de se faire couler un bain. La chaleur de l'eau atténue la douleur, procure une détente musculaire et soulage le poids de la bedaine. S'il s'agit de fausses contractions, elles diminueront ou cesseront grâce à la détente que lui aura procurée l'eau chaude. Au contraire, si la mère connaît un vrai travail, les contractions se poursuivront et augmenteront peut-être en intensité. Si c'est le cas, il est conseillé que la mère joigne son partenaire (s'il n'est pas déjà à ses côtés) ou toute autre personne l'accompagnant à l'accouchement. Si vous avez une accompagnante à la naissance, téléphonez-lui pour lui indiquer que votre travail est amorcé.

Crever ses « eaux » en début de travail : comment ça marche

Dans le ventre, le fœtus est protégé, comme dans un œuf. Deux membranes forment la poche des eaux, laquelle contient du liquide amniotique stérile. Lors du travail, les contractions s'intensifient, le col commence à s'ouvrir et les membranes, sous tension, peuvent se rompre ou se fissurer. Le liquide amniotique contenu dans la poche s'écoule alors (environ l'équivalent d'un verre d'eau). Se renouvelant jusqu'à la naissance, le liquide amniotique coulera dès lors en permanence, tout au long de l'accouchement.

La rupture de la poche des « eaux » peut survenir à n'importe quel moment pendant le travail, et même au début, sans que la mère ressente de contractions. Dans la majorité des cas, quand le bébé est à terme, le travail se déclenche spontanément dans les 24 heures suivant la rupture de la poche des eaux[1]. Celle-ci libère en effet de la prostaglandine, un stimulant pour les contractions. Si les contractions ne commencent pas ou sont inefficaces

Question de parents

Si les « eaux » se crèvent avant 37 semaines de grossesse, quelle est la marche à suivre ?

Dans une telle situation, vous devez appeler la maternité très rapidement. Si la mère est à risque d'accoucher prématurément, elle sera prise en charge par une équipe médicale à l'hôpital, qui tentera d'arrêter le travail et de prévenir les risques d'infections ou procédera à l'accouchement, sous la supervision d'une équipe en néonatologie.

Mythe

?!

**Perdre ses « eaux » est
le principal signe du début
du travail.**

Environ 10 % des femmes seulement crèvent leurs « eaux » spontanément en début de travail. La plupart des femmes les perdront plutôt en cours de travail. Si ce n'est pas le cas, le médecin de garde peut proposer de procéder à une rupture artificielle des membranes (RAM) si la naissance est imminente. Dans de rares cas, il arrive que certaines femmes expulsent leur bébé sans que leurs membranes amniotiques aient été rompues. On dit alors que le bébé naît « coiffé ».

après que l'on a essayé des moyens naturels pour stimuler le travail (ex.: stimuler les mamelons [voir la page 62]) ou encore que des signes d'infection se manifestent (ex.: fièvre), le médecin de garde peut décider de déclencher l'accouchement artificiellement.

Il arrive que les mères fissurent leurs membranes amniotiques sans les crever. Dans une telle situation, elles remarquent que du liquide amniotique coule en petits filets dans leur culotte et qu'elles doivent constamment changer de serviette sanitaire. Contrairement à l'urine, le liquide amniotique est incolore et inodore, et il s'écoule de manière continue. Quand la mère perd du liquide amniotique, il est recommandé de se rendre à la maternité puisqu'une rupture prolongée des membranes augmente les risques d'infections. Si vous vivez une telle situation, appelez votre maternité et votre accompagnante à la naissance (s'il y a lieu).

Le bouchon muqueux : un signe que le col utérin se ramollit

Pendant la grossesse, le bouchon muqueux se forme dans le col utérin pour protéger le bébé contre les microbes du vagin. D'aspect gélatineux (un peu comme un blanc d'œuf cru), il peut être coloré de sang rosé ou brunâtre. Sa perte est un signe de maturation du col, mais elle n'indique pas nécessairement que l'accouchement va avoir lieu incessamment. Elle ne signifie pas non plus que la mère va accoucher. Certaines femmes donnent naissance quelques heures après la perte du bouchon muqueux, d'autres quelques jours, voire plusieurs semaines après. Quelques femmes ne se rendent même pas compte qu'elles l'ont perdu.

LES STADES DU TRAVAIL

De manière générale, l'accouchement se divise en trois stades : le stade de la dilatation du col de l'utérus de 0 à 10 cm (incluant les phases de latence, active et de transition, [voir les pages 142 et 143]), le stade expulsif et le stade de la délivrance du placenta. Tout comme pour un marathon, la durée totale du travail peut être longue, surtout pour une première naissance (une moyenne de 14 heures pour un premier bébé et de 7 heures pour les autres naissances). Cela ne s'appelle pas « travail » pour rien ! Il faut fournir un effort physique ; il est donc primordial que la mère se repose entre les contractions. Contrairement à ce que l'on pourrait croire, l'ennemie de l'accouchement s'avère quelquefois être la fatigue plutôt que la douleur.

Question de parents

Le conjoint dispose-t-il du temps nécessaire pour revenir du boulot lorsque le vrai travail commence ?

La phase de latence, d'une durée moyenne de 8 heures, peut aussi être très longue (de 1 à 3 jours) pour une première naissance. En général, le conjoint dispose du temps nécessaire pour revenir à la maison. Si jamais la mère sentait l'imminence d'un accouchement surprise (ex.: ses contractions sont rapidement très intenses et à des intervalles rapprochés, ou elle ressent une envie incontrôlable de pousser son enfant), elle devrait appeler le 911 et s'allonger sur le côté gauche. Elle pourrait aussi joindre une amie ou un membre de la famille habitant près de chez elle, pour la soutenir le temps que son conjoint la rejoigne. Notez finalement que beaucoup de femmes commencent leur travail durant la nuit, aux côtés de leur partenaire.

La mère doit aussi tenter de boire et de grignoter entre les contractions pour conserver son niveau d'énergie. Discutez avec une animatrice de cours prénataux de tous les scénarios possibles d'accouchement : un accouchement rapide (moins de 5 heures) comme un plus long (48 heures), avec ou sans analgésie péridurale (voir la page 62) et avec ou sans césarienne (voir la page 68). Chaque accouchement se révèle unique. Une chose est sûre : en vous préparant à l'avance pour cette journée, vous mettez toutes les chances de votre côté pour en profiter et ne pas vous laisser envahir par des insécurités liées à une méconnaissance de ce qu'est le travail.

Stade 1 : La dilatation du col utérin – phase de latence

C'est une période qui se vit généralement à la maison, dans la mesure où la mère n'a pas crevé ses « eaux ». Très variable en durée (d'une moyenne de 8 heures pour une première naissance), elle amène une dilatation de 0 à 3 cm. Les contractions sont habituellement courtes (entre 30 et 45 secondes) ; leur intensité va de faible à moyenne. La plupart du temps, la mère ne ressent pas trop d'inconfort ni de malaises. Elle peut en profiter pour tester son habileté à gérer la douleur et à développer sa patience puisque, dans cette phase, la dilatation utérine peut prendre plusieurs heures, voire de 2 à 3 jours. Dans une telle situation, la mère connaît toutefois des intervalles sans contractions.

Info nutrition

Optimiser le niveau d'énergie de la mère pendant la phase de latence

Accoucher est une activité physique exigeante qui nécessite de l'énergie. La mère peut profiter de la phase de latence (généralement vécue à la maison), où la douleur est moindre et où elle n'a généralement pas de nausées, pour faire de petites provisions d'énergie. Tout d'abord, il est important qu'elle boive régulièrement de l'eau, des jus de fruits dilués ou des bouillons pour prévenir la déshydratation. Elle doit aussi s'assurer de manger des aliments riches en protéines, qui vont lui procurer de l'énergie à long terme. Toutefois, puisque les protéines sont longues à digérer, la mère ne doit pas en consommer de manière excessive et doit le faire, idéalement, au tout début du travail. De plus, elle doit privilégier les aliments riches en glucides complexes (ex. : produits céréaliers et féculents), qui lui procureront aussi de l'énergie.

Pour réduire les risques de souffrir d'inconforts digestifs, elle doit éviter les aliments frits et gras, qui ralentissent la digestion. Voici quelques exemples de repas légers que la mère peut consommer pendant la phase de latence :

- un demi-sandwich au poulet, aux œufs, au saumon ou au thon ;
- un bol de céréales avec de la boisson de soya et une banane ;
- des craquelins avec du fromage allégé ou cottage et une grappe de raisins ;
- un muffin maison et un verre de lait.

Mieux vaut manger peu et souvent que de prendre un seul gros repas qui sera difficile à digérer. La mère doit écouter son appétit. Elle peut manger quelques collations ou repas légers durant la période de latence, surtout si cette dernière se prolonge et que la faim est au rendez-vous, dans la mesure où le travail se déroule sans complications.

M. L.

Trucs et outils pour le père ou la personne accompagnatrice pendant la phase de latence

- Être présent, attentionné et calme pour rassurer la mère.
- Effectuer les respirations avec la mère pendant une contraction pour l'aider à se détendre.
- Suggérer à la mère de sommeiller entre les contractions pour éviter un épuisement, à n'importe quel moment de la journée, spécialement la nuit.
- Proposer à la mère de prendre un bain pour vérifier si c'est un vrai travail. Si elle s'y sent bien, elle peut y rester pour soulager sa douleur.
- Préparer un léger goûter nutritif pour la mère (voir la capsule de Mélanie Ladouceur à la page 133); lui rappeler l'importance de boire et d'aller à la toilette régulièrement, tout au long du travail. Une vessie pleine pourrait nuire à la descente du bébé dans le bassin.
- Vaquer aux occupations quotidiennes (ex.: vaisselle). La mère peut y participer un peu, si tel est son désir, afin de se changer les idées.
- Accompagner la mère au cours d'une marche à l'extérieur pendant le jour pour activer le travail et oxygéner la mère et le bébé.

- Masser la mère au niveau lombaire et effectuer des points d'acupression (voir la page 101).
- Calculer la durée des contractions et de l'intervalle qui les sépare, et inscrire les résultats dans un tableau (voir la page 145).
- Stimuler les mamelons de la mère dans un contexte d'intimité pour optimiser l'efficacité des contractions. Cette manipulation favorise la sécrétion naturelle d'ocytocine.
- Téléphoner à l'accompagnante si vous avez recours à ce type de service. Elle pourra vous donner des conseils supplémentaires pour optimiser l'efficacité du travail, et vous guider au sujet du moment du départ vers l'hôpital.
- Téléphoner à la maternité et préparer les valises en vue du départ pour l'hôpital.

À savoir: Tout au long du travail, quand la mère se repose, il est souhaitable que le père ou la personne accompagnatrice sommeille ou en profite pour manger, et ainsi être plus en forme pour accompagner la mère à l'hôpital.

Le père, quant à lui, peut mettre en pratique les activités ci-haut mentionnées pour accompagner sa partenaire en ce début de travail. La phase de latence est généralement la plus longue, mais elle est celle où les contractions sont les moins douloureuses et permettent encore à la mère de se reposer entre elles. Il est aussi probable que la phase de latence se déroule en un éclair (surtout pour les femmes qui ont déjà accouché par le passé).

Le départ vers le lieu de naissance

Pour une première naissance, il est généralement recommandé de se rendre à la maternité quand la mère ressent des contractions d'une durée de 60 secondes chacune, à intervalles de 5 minutes, depuis 2 heures (cela peut varier en fonction de la proximité de l'hôpital et de la météo).

Pour la mère ayant déjà accouché par le passé, il est conseillé de se rendre à la maternité lorsqu'elle a des contractions d'une durée de 60 secondes chacune, à intervalles de 10 minutes, depuis 2 heures (cela peut varier en fonction de la proximité de l'hôpital et de la météo). Si la mère a crevé ses « eaux », elle doit se rendre à l'hôpital, peu importe la fréquence des contractions. Il est aussi conseillé d'appeler votre maternité avant de vous y rendre. Une infirmière de garde pourra vous conseiller. Vous pourrez aussi demander l'avis d'une accompagnante à la naissance pour éviter de vous épuiser en effectuant des allers-retours inutiles entre votre maison et le lieu de naissance.

Mise en forme

Exercice à effectuer pendant une contraction pour renforcer les jambes[2]

L'exercice suivant avec le ballon ergonomique (mis à la disposition des mères dans les hôpitaux), qui favorise la descente du bébé dans le bassin, peut être apprécié par la mère, notamment lors d'une contraction, ou si le père n'est pas à ses côtés durant le travail. Le ballon permet de masser le dos de la mère. Idéalement, il est souhaitable que cette dernière fasse aussi cet exercice tous les jours pendant le dernier trimestre de grossesse (pour renforcer ses jambes), ainsi qu'à quelques reprises lors du premier stade du travail.

Marche à suivre pour la mère

- Placez-vous debout, dos à un mur, et maintenez le ballon au mur avec le bas de votre dos.
- Pliez ensuite tranquillement les genoux sans dépasser 90 degrés, en gardant le dos contre le ballon afin que celui-ci ne tombe pas, dans la même position que pour vous asseoir sur une chaise.
- Remontez tranquillement vos jambes pour ramener votre bassin à sa position initiale.
- Répétez cette séquence à quelques reprises, tout au long d'une contraction, en prenant soin de bien respirer.

J. L.

Question de parents

Est-il possible que la mère ne ressente pas la douleur des contractions et qu'elle accouche à la maison ?

La perception de la douleur de l'accouchement est différente d'une femme à une autre. La plupart des mères qualifient la douleur de l'accouchement de très intense. Certaines femmes, dans de rares cas, ne la sentent presque pas, surtout dans la phase de latence. Toutefois, comme la douleur s'amplifie au fur et à mesure que les heures passent, elles ressentent généralement le besoin de se rendre à l'hôpital pendant la phase active (voir la page 137).

?!

Beaucoup de femmes accouchent en route vers l'hôpital.

La durée moyenne d'un accouchement pour une première naissance est de 14 heures, et de 7 heures pour les naissances subséquentes[3]. La plupart des femmes ont donc le temps de se rendre à l'hôpital. Si la mère devait accoucher rapidement, vous pourriez appeler le 911. Le service des premiers répondants vous guiderait dans le processus et vous enverrait urgemment de l'assistance.

Stade 1 (suite) : La dilatation du col utérin – phase active

Si vous suivez les recommandations sur le moment pour vous rendre à la maternité données à la page 134, vous devriez vivre la phase active confortablement installés dans la chambre de naissance à l'hôpital ou en maison de naissance. À l'occasion, ne soyez pas surpris de voir le travail de la mère ralentir lors de votre admission. Une fois que cette dernière se sentira à l'aise dans le nouvel environnement, le stress devrait retomber. Les contractions devraient s'allonger à environ 60 secondes et revenir à des intervalles de 2 à 4 minutes. Au cours de cette phase, d'une durée moyenne de 5 heures pour une première naissance, le col utérin se dilate jusqu'à 7 cm.

À savoir : Pendant la phase active, l'intensité de la douleur augmente ; la femme devient habituellement plus fragile sur le plan émotif et ressent davantage le besoin d'être accompagnée. C'est généralement au cours de cette période qu'elle décide de prendre ou pas l'analgésie péridurale pour soulager la douleur des contractions.

Trucs et outils pour le père ou la personne accompagnatrice pendant la phase active

- Mettre en place un environnement calme et intime dans la chambre d'hôpital ou de la maison de naissance (ex.: rideaux fermés, lumière tamisée ou fermée, et musique). Éviter qu'il y ait trop de va-et-vient.
- Amener la mère à se concentrer sur son bébé et non sur la douleur.
- Éviter de concentrer son attention sur le monitorage, le téléphone intelligent ou toute autre activité qui pourrait perturber la mère.
- Transmettre de l'amour à la mère, l'encourager.
- Inciter la mère à aller marcher dans le corridor et à adopter des positions verticales, qui mettent à profit la force de gravité (voir la page 146), et à faire des exercices sur le ballon ergonomique pour activer le travail (voir la page 135). Les positions couchées sur le dos sont généralement peu confortables.
- Proposer à la mère de boire des jus et de grignoter légèrement, si elle n'a pas de nausées.
- Masser la mère au niveau lombaire, appliquer un sac magique au bas de son ventre ou de son dos, des compresses d'eau chaude ou d'eau froide sur son front, et stimuler ses points d'acupression (voir la page 101).
- Stimuler les mamelons de la mère dans un contexte d'intimité pour optimiser l'efficacité des contractions. Cette manipulation favorise la sécrétion naturelle d'ocytocine.
- Proposer à la mère de prendre un bain pour soulager sa douleur.
- Rappeler à la mère que chacune des contractions doit se vivre une à la fois, dans le moment présent. L'intervalle sans douleur lui permet de sommeiller. C'est un moment pour elle. Elle ne doit surtout pas penser à la prochaine contraction.
- La mère peut mettre sa main ou celle de son conjoint sur son ventre et parler à son enfant pour l'aider à naître. Dans cet esprit, elle ne subit pas la douleur, mais participe plutôt, en tant que futur parent, à donner naissance à son enfant.
- Si la mère le demande, faire appeler l'anesthésiste pour soulager sa douleur (voir la page 63).

Stade 1 (suite) : La dilatation du col utérin – phase de transition

Cette phase, où la douleur est souvent vive et intense, se révèle habituellement difficile pour la mère. Toutefois, sa durée est plus courte que celle des phases de latence et active. Elle peut varier entre 30 minutes et 2 heures environ, pour une première naissance. Elle permet une dilatation complète (10 cm). Pendant cette période, la mère peut devenir très vulnérable et éprouver des malaises comme des nausées et des tremblements. À certains moments, elle peut grelotter, alors qu'à d'autres, elle peut être incommodée par des bouffées de chaleur. Un simple ton de voix ou une odeur désagréable peut l'irriter. Certaines femmes se montrent impatientes et peuvent avoir l'impression de perdre la maîtrise d'elles-mêmes. En effet, les contractions sont à leur plus haute intensité. Elles reviennent généralement toutes les 1 à 2 minutes et durent de 70 à 90 secondes. Si la mère n'est pas soulagée par la péridurale, c'est probablement la phase la plus éprouvante pour elle. Le conjoint ou la personne accompagnatrice est d'une grande aide pour la soutenir et l'encourager.

Stade 2 : L'expulsion du bébé

Durant le deuxième stade du travail, le col utérin est complètement effacé et dilaté à 10 cm (voir la page 143), et les contractions sont généralement moins douloureuses. Elles peuvent durer 60 secondes et revenir toutes les 2 à 5 minutes pendant une période totale variant de

---

Trucs et outils pour le père ou la personne accompagnatrice pendant la phase de transition

Si la mère n'a pas pris l'analgésie péridurale :

- Lui faire sucer de la glace et apposer des compresses d'eau froide ou chaude sur son front, si elle le souhaite ;
- Lui faire ses massages préférés ou toute autre chose qu'elle aime ; être particulièrement à l'écoute de ses besoins ;
- Si sa respiration devient plus rapide parce que l'intensité du travail la fait un peu paniquer, effectuer les respirations au ralenti avec elle, en la regardant dans les yeux. Demeurer confiant et calme à ses côtés et tenter de la recentrer sur son bébé ;
- Lui rappeler l'importance de prendre chaque contraction une à la fois, et de sommeiller entre elles. C'est un moment pour elle ;
- Louanger sa force et son endurance ; lui rappeler que la naissance est imminente, que le travail est intense, mais très rapide ;
- Respecter sa bulle d'intimité, si c'est ce qu'elle veut ;
- L'aider à changer de position ; elle n'y arrive pas nécessairement par elle-même ;

- L'accompagner à la toilette pour vider sa vessie le plus souvent possible. Dans la mesure où elle s'y sent bien, elle peut même y rester. Cette position verticale favorise la descente du bébé dans le bassin ;
- Si vous devenez trop émotif ou avez besoin d'aller vous aérer à l'extérieur, faites-vous remplacer par une accompagnante à la naissance ou toute autre personne présente durant l'accouchement.

Si la mère a pris l'analgésie péridurale :

- Lui faire sucer de la glace et mettre des compresses d'eau froide ou chaude sur son front, si elle le souhaite ;
- Demander l'assistance de l'infirmière pour qu'elle aille aux toilettes ou urine dans une bassine (dans le cas d'une péridurale faiblement dosée), ou qu'on lui pose une sonde ou un cathéter pour vider sa vessie. Une vessie pleine peut constituer un obstacle à la descente du bébé dans le bassin ;
- L'encourager à dormir afin de garder ses forces en vue de la période expulsive. En profiter pour vous reposer, vous aussi.

15 minutes à 3 heures environ, pour une première naissance. Il est souhaitable que la mère pousse son enfant seulement lorsque le réflexe expulsif se déclenche, à moins d'une contre-indication médicale (voir la capsule du Dr Julie Choquet à la page 141). À l'idée de faire bientôt connaissance avec son enfant, la mère peut ressentir un regain d'énergie. Elle exprime souvent un besoin d'aller à la selle (la tête de son bébé appuyant sur son rectum). Pour se soulager lors d'une contraction, il lui est conseillé de pousser son bébé dans les positions verticales de son choix, qui mettent à profit la force de gravité. Afin de permettre une meilleure oxygénation et un relâchement des tissus, la

---

Trucs et outils pour le père ou la personne accompagnatrice pendant le stade expulsif

- Faire adopter à la mère une position qui met à profit la force de gravité, pour faciliter l'expulsion de son enfant (voir les trois positions présentées à la page 146).
- Faire sucer des glaçons à la mère entre les poussées.
- Appliquer des compresses d'eau froide sur le front et dans le cou de la mère.
- Rester aux côtés de la mère et lui masser la main ou les tempes.

- Amener la mère à se reposer entre deux poussées. C'est un moment pour elle.
- Encourager la mère ; lui murmurer des mots doux à l'oreille.
- Si la mère le désire, lui montrer la tête de son enfant dans un miroir, voire la lui faire toucher pour la motiver à continuer de pousser.
- Inciter la mère à détendre sa bouche, ses joues et ses fesses au moment des poussées.

Une naissance tout en reggae !

Au cours des centaines d'accompagnements qu'elle a faits dans sa carrière, Sylvie Thibault a régulièrement constaté que les parents étaient beaucoup plus détendus pendant l'accouchement qu'ils l'avaient prévu dans le cadre des cours prénataux. Elle raconte un souvenir particulièrement heureux : « J'accompagnais un couple qui adorait la musique reggae, dit-elle. Lors de l'accouchement à l'hôpital, tout au long du travail, la mère et son conjoint ont concentré leur attention sur des rythmes musicaux, qui nous transportaient sur le bord de la mer et au soleil. Quelquefois, pendant une contraction, ils dansaient dans les bras l'un de l'autre, dans un esprit festif. Ils ont très bien vécu toutes les phases du travail ; ils s'étaient plongés dans une "bulle" d'intimité et de bonheur, au cœur même de l'hôpital, pour accueillir leur enfant. Leur bonne humeur était contagieuse, au point que les professionnels de la santé se dandinaient sans s'en rendre compte au rythme de la musique quand ils entraient dans la chambre ! »

mère devra aussi respirer profondément. Au fur et à mesure des poussées, qui dureront 5 ou 6 secondes chacune, la tête de l'enfant s'engagera dans le vagin, et ses cheveux seront éventuellement visibles. La peau du périnée de la mère se gonflera et s'étirera. La mère pourra ressentir une sensation de brûlure pendant quelques secondes, mais rapidement, la tête, puis les épaules du bébé passeront et le restant de son corps suivra. Votre enfant sera né !

Stade 3 : L'expulsion du placenta
Une fois l'enfant né, l'utérus continue de se contracter. Le placenta se décolle de l'utérus dans un délai variant entre 10 et 30 minutes environ suivant la naissance. Pendant cette période, il est conseillé que votre bébé soit en contact peau à peau avec sa mère ou son père (voir la page 152).

Est-ce que le père peut accueillir son bébé ?
S'il le désire, une fois votre bébé né, le père pourra le porter sur la poitrine de la mère. Certaines femmes préfèrent accueillir leur enfant elles-mêmes. Entamez la communication à ce sujet avec votre partenaire et votre médecin. Faites ensuite vos demandes spéciales, selon votre plan de naissance, s'il y a lieu.

Question de parents

Est-ce une bonne idée que la grand-mère assiste à l'accouchement ?

Cette décision vous revient. Certains couples désirent vivre l'accouchement dans l'intimité et impliquer, ou pas, les grands-parents, une fois que le bébé est né (voir la page 176). D'autres femmes veulent pouvoir compter sur le soutien émotif de leur mère quand elles en sentiront la nécessité. Dans un tel cas, pour mieux lui communiquer vos besoins, il est recommandé de l'inviter à certaines leçons prénatales. Dans le cadre de ces dernières, la grand-mère pourra mettre à jour ses connaissances en matière d'accouchement, de soins au bébé et d'allaitement. Au cours des 25 dernières années, les connaissances et les mentalités dans le domaine de la périnatalité ont beaucoup évolué. Vous éviterez peut-être ainsi des situations inconfortables.

Question de parents

Est-ce que la mère évacue des selles pendant le stade expulsif ?

Au moment où la femme est prête à pousser son bébé, ce dernier compresse son rectum. C'est pourquoi la mère peut avoir envie d'aller à la selle. Au cours des minutes, voire des heures à venir, c'est son enfant qu'elle expulsera, mais il se peut qu'elle évacue aussi un peu de selles, de liquide amniotique et de sang. L'infirmière ou le médecin nettoiera la vulve régulièrement.

Le réflexe naturel pendant le stade expulsif

Lorsque la tête du bébé dépasse le niveau des épines sciatiques dans le bassin (voir la page 121), un réflexe naturel expulsif se produit. Avant d'amorcer les poussées, il est donc important d'attendre que le bébé descende dans le bassin, avec l'aide des contractions, et que la mère ressente une forte envie de pousser. Elle préservera ainsi son énergie et évitera les efforts inutiles.

Attendre le réflexe expulsif diminue aussi le risque de devoir utiliser une ventouse ou des forceps, et raccourcit d'environ 22 minutes la durée totale des poussées. De plus, les études n'ont démontré aucun avantage à guider les femmes dans leur technique de poussée. La méthode de Valsalva, connue sous l'appellation «bloc et pousse», qui consiste à faire retenir leur souffle aux mères à trois reprises lors de chaque contraction, augmente les risques de déchirures et diminue l'apport en oxygène chez la mère et le bébé. Cependant, lorsque ce dernier présente des signes de fatigue avec des variations du cœur fœtal, elle peut raccourcir la durée des poussées. C'est particulièrement le cas si une péridurale est en cours et que la mère ne ressent presque pas l'envie de pousser, et ce, même si son bébé est bas dans le bassin.

J. C.

Chanter à deux pour bien vivre le travail ?

Il est possible que, durant le travail, particulièrement durant la phase de transition, le stress que la mère ressent diminue l'efficacité du travail, ou encore qu'il accentue ses sensations de douleur. Pour l'aider à gérer ses peurs et ses tensions pendant la contraction, vous pouvez chanter à deux, et à voix basse, le son HU (prononcé hiou), pendant une contraction. Le son HU fait bouger le diaphragme, qui est relié à la respiration et au périnée, ce qui crée de l'espace autour de l'utérus et diminue les sensations. Il a d'autres vertus : il permet à la mère de porter son attention ailleurs que sur la contraction, tout en lui procurant une sensation de calme. Imaginez que le HU est un chant d'amour à votre bébé ! La mère peut chanter, tout en relâchant ses fesses et sa langue. Il est conseillé qu'elle fasse confiance à son corps, à son bébé, à son partenaire et à la vie.

J. B. et M. B.

TABLEAU RÉCAPITULATIF

STADE 1 : PHASE DE LATENCE

- Dilatation : de 0 à 3 cm
- Durée de la phase : environ 8 heures pour une première naissance (phase la plus longue, elle se déroule généralement à la maison)
- Intervalle entre les contractions : de 5 à 30 minutes (variable pour chaque femme)
- Durée d'une contraction : de 30 à 45 secondes

De 5 à 30 minutes

De 30 à 45 secondes

STADE 1 : PHASE ACTIVE

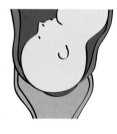

- Dilatation : de 3 à 7 cm
- Durée de la phase : environ 5 heures pour une première naissance (le travail est plus intense et efficace, il se déroule à l'hôpital ou en maison de naissance)
- Intervalle entre les contractions : de 2 à 4 minutes
- Durée d'une contraction : environ 60 secondes

De 2 à 4 minutes

60 secondes

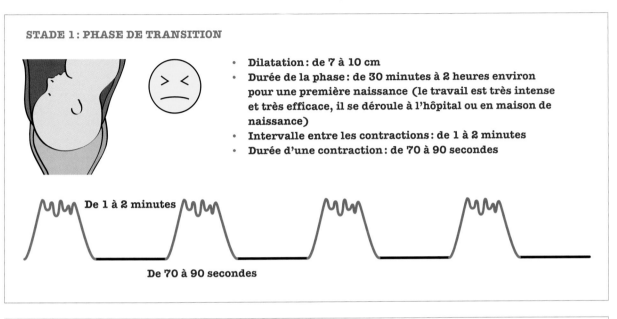

STADE 1 : PHASE DE TRANSITION

- Dilatation : de 7 à 10 cm
- Durée de la phase : de 30 minutes à 2 heures environ pour une première naissance (le travail est très intense et très efficace, il se déroule à l'hôpital ou en maison de naissance)
- Intervalle entre les contractions : de 1 à 2 minutes
- Durée d'une contraction : de 70 à 90 secondes

De 1 à 2 minutes

De 70 à 90 secondes

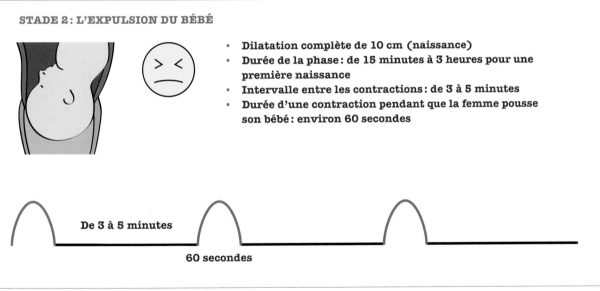

STADE 2 : L'EXPULSION DU BÉBÉ

- Dilatation complète de 10 cm (naissance)
- Durée de la phase : de 15 minutes à 3 heures pour une première naissance
- Intervalle entre les contractions : de 3 à 5 minutes
- Durée d'une contraction pendant que la femme pousse son bébé : environ 60 secondes

De 3 à 5 minutes

60 secondes

À savoir : Durée moyenne complète du travail : 14 heures pour une première naissance (primipare) et 7 heures pour les naissances suivantes (multipares). Ce tableau est à titre indicatif seulement. Le scénario peut varier d'une femme à une autre. S'il y a des complications, la césarienne peut avoir lieu à n'importe quel moment du travail ou de l'accouchement. Vous pouvez trouver des applications qui calculent les contractions en naviguant sur Internet. Au moment venu, vous n'aurez qu'à les ouvrir sur votre téléphone intelligent et à les utiliser. Lors de votre admission à l'hôpital, il est toutefois conseillé d'éteindre vos téléphones.

Mythe

?!

Il faut accoucher les deux pieds dans les étriers et dans la position gynécologique.

Pendant le stade expulsif (voir la page 138), les positions qui mettent à profit la force de gravité sont davantage indiquées que la position couchée sur le dos. Elles réduisent la douleur, facilitent la descente du bébé dans le bassin et diminuent la durée du travail. Au contraire, la position couchée sur le dos, avec les deux pieds dans les étriers lors des poussées, ne favorise pas l'engagement de l'enfant dans le bassin. Quand la femme est allongée sur le dos, l'utérus pèse sur les vaisseaux qui irriguent le corps et les douleurs lombaires sont accentuées. S'il y a des complications (ex. : qui nécessitent la pose de forceps), il peut toutefois arriver que la position gynécologique soit indiquée.

De la théorie à la pratique

Vous trouverez toutes les activités de
ce livre sur le site mereetmonde.com

Pour mieux vous préparer à l'accouchement, vous pouvez faire les activités suivantes, en fonction de vos besoins.

ACTIVITÉ 1 : CALCULER LA DURÉE ET LES INTERVALLES DES CONTRACTIONS

Faites plusieurs photocopies du tableau vierge qui suit et conservez-les en vue de l'accouchement. Dès le début des contractions, le père ou la personne accompagnatrice pourra les remplir afin de déterminer le moment où vous devrez vous diriger vers l'hôpital ou la maison de naissance. Il déterminera l'intervalle des contractions en calculant les minutes écoulées entre le début d'une contraction et le début de la suivante.

À savoir : Pour une première naissance, il est généralement recommandé de se rendre à la maternité quand la mère ressent des contractions d'une durée de 60 secondes chacune, à intervalles de 5 minutes depuis 2 heures (cela peut varier en fonction de la proximité de l'hôpital et de la météo). Pour la mère ayant déjà accouché par le passé, il est conseillé de se rendre à la maternité lorsqu'elle a des contractions d'une durée de 60 secondes chacune à intervalles de 10 minutes depuis 2 heures (cela peut varier en fonction de la proximité de l'hôpital et de la météo).

Heure	Durée de la contraction	Intervalle	Commentaires

ACTIVITÉ 2 : LES POSITIONS VERTICALES PENDANT LE TRAVAIL

Avant l'accouchement, vous pouvez pratiquer les trois positions verticales suivantes, qui mettent à profit la force de gravité, afin que le père ou la personne accompagnatrice se sente à l'aise de guider la mère pendant l'accouchement. L'exercice permettra aussi de vérifier le niveau de confort de la mère. Pendant l'accouchement, le père ou la personne accompagnatrice pourra consulter cet ouvrage pour mieux les faire (au besoin, mettez-y un papillon [« post-it »]).

1. Debout et soutenue par le partenaire[4]

Marche à suivre pour la mère : Quand vous sentez venir une contraction, faites face à votre partenaire et entourez sa tête avec vos bras. Appuyez votre tête sur son torse, puis pliez tranquillement les genoux et laissez tomber doucement vos hanches en expirant. Maintenez cette position pendant la contraction. Pour détourner l'attention de la douleur, vous pouvez balancer vos hanches de gauche à droite.

2. À genoux vers l'avant et soutenue par le ballon[5]

Marche à suivre pour la mère : Mettez-vous à genoux afin de vous pencher vers un ballon d'exercice (que votre partenaire aura demandé à l'infirmière). Enserrez-le avec vos bras et posez votre tête dessus. Étirez au maximum votre colonne vertébrale, les épaules relâchées. Maintenez cette posture particulièrement apaisante. Vous n'avez pas de ballon ? Faites asseoir votre partenaire sur une chaise et déposez un oreiller sur ses cuisses. Appuyez vos avant-bras et votre tête sur l'oreiller et exécutez le même exercice d'étirement proposé pour le ballon. Dans cette position, votre partenaire peut vous masser le dos.

3. Accroupie, assise sur les fesses[6]

Marche à suivre pour la mère : Assoyez-vous sur vos fesses, les jambes écartées, alors que votre partenaire est assis sur une chaise, et appuyez le haut de votre corps entre ses genoux.

À savoir : Chaque mère, en fonction de sa physionomie et de la position de son bébé, arrive à trouver par elle-même les positions qui soulagent sa douleur. Il n'y en a pas une qui soit meilleure qu'une autre. Lors des contractions, il est suggéré qu'elle se positionne comme bon lui semble, à moins qu'elle n'ait « crevé » ses eaux et que son bébé ne soit pas fixé dans son bassin (voir la page 121).

ACTIVITÉ 3 : TROIS POSITIONS POUR POUSSER LE BÉBÉ

Avant l'accouchement, il est recommandé d'expérimenter ces positions afin de vérifier si la mère s'y sent à l'aise. Pendant l'accouchement, le père ou la personne accompagnatrice pourra consulter cet ouvrage pour aider la mère à mieux les faire (au besoin, mettez-y un papillon [« post-it »]).

1. Semi-assise

Marche à suivre pour la mère : Demandez que le haut de votre lit soit relevé pour adopter une position semi-assise. Ainsi, vous pouvez agripper vos genoux lors d'une poussée, puis vous reposer entre deux contractions contre le lit derrière vous. Le sacrum et le bassin seront plus libres que dans la position couchée sur le dos.

2. Allongée sur le côté gauche[7]

Marche à suivre pour la mère : Allongez-vous sur le lit, du côté gauche. Soulevez ensuite votre jambe droite et repliez-la vers votre poitrine. Vous pouvez utiliser l'étrier ou un oreiller pour supporter votre jambe surélevée. Cette position permet une bonne oxygénation de la mère et de l'enfant. Le sacrum n'est pas comprimé et le bassin est souple.

3. À quatre pattes sur le lit[8]

Marche à suivre pour la mère : Si vous arrivez à bouger, mettez-vous à quatre pattes sur le lit. Cette position atténue la douleur, car le poids de l'utérus appuie moins sur le sacrum. Le ventre est libre ; la rotation du bassin est optimale. Les fesses sont détendues et les ischions sont écartés. Cette position facilite l'expulsion du bébé.

Cours 6

Les premières journées avec bébé et l'allaitement

Votre enfant est né ! Vous pouvez savourer le plaisir de le serrer dans vos bras et de le caresser. Appréciez le calme qu'il dégage. Lors des premiers regards échangés avec lui, ne soyez pas surpris si l'émotion vous pousse à pleurer de joie. La mère sera sans doute impressionnée par ce petit être déposé sur sa poitrine qui était, il y a quelques secondes à peine, dans son utérus. Quant au père, il devrait réaliser concrètement, peut-être pour la première fois, qu'il est papa. Quels sentiments intenses, ces moments uniques vous permettent de vivre ! Les prochains jours seront probablement empreints d'une sensation de bonheur sans égale. Toutefois, il se peut aussi que vous soyez fatigués, voire bouleversés par l'aventure de l'accouchement et ce qui s'ensuit. Ne vous inquiétez pas outre mesure. S'il y a des imprévus, gardez en tête que tout rentrera probablement rapidement dans l'ordre.

Peu importe la manière dont vous avez vécu l'expérience de la naissance, ne perdez pas de vue que vous êtes les parents d'un magnifique poupon, qu'il soit votre premier enfant ou pas. Savourez votre rencontre avec ce nouveau membre de la famille ; il fait maintenant partie de votre vie. Dans les minutes et les heures suivant sa naissance, votre enfant établit une relation avec vous et explore le monde. Aussitôt qu'il commence à respirer par lui-même, il apprivoise tous ses sens. Il est porté à chercher votre regard. Il est probable qu'il trouve l'environnement de la chambre d'hôpital bruyant et froid, en contraste avec l'utérus de sa mère. De ce fait, s'il n'y a pas de complications, conservez un climat intime, peu bruyant, avec un éclairage tamisé. Profitez-en pour effectuer de nombreux contacts peau à peau avec lui, pour le regarder et lui parler. Ce moment vous permet de vous découvrir les uns les autres et de le rassurer, dans ce monde inconnu pour lui. Pour établir un contact peau à peau, placez votre enfant, vêtu seulement d'une couche (ou pas), directement sur votre poitrine. Couvrez ensuite son corps d'une couverture chaude et sa tête d'un bonnet pour qu'il conserve sa chaleur. Demandez à l'infirmière ou à une accompagnante de vous assister. Le fait de garder votre bébé au chaud assure le bon fonctionnement de son organisme. Il est souhaitable de minimiser les interventions médicales de routine pendant cette période de rencontre entre votre bébé et vous (ex.: l'onguent ophtalmologique [voir la page 75]).

LE CONTACT PEAU À PEAU ET L'ALLAITEMENT

Le contact peau à peau facilite également l'allaitement s'il est fait sur la poitrine de la mère au cours de la première heure[1, 2]. Ainsi, le bébé est généralement déposé dans ses bras s'il n'y a pas de complications. Cependant, la mère reçoit parfois des soins à la suite d'une déchirure du périnée, après la délivrance du placenta. Elle peut décider de garder son enfant dans ses bras pendant cette période, ou demander à son conjoint d'effectuer lui aussi le contact peau à peau, s'il le souhaite. La plupart des partenaires apprécient particulièrement ce moment. Ils peuvent ainsi assumer rapidement leur nouveau rôle de papa. Après les soins au périnée (s'il y a lieu), toujours durant la première heure suivant l'accouchement, la mère pourra établir de nouveau un contact peau à peau avec son bébé et une première mise au sein (voir la page 157), si elle le souhaite.

À savoir : Si le père s'aperçoit que son bébé cherche à téter son mamelon, il est recommandé qu'il le dépose sur la mère pour amorcer la première mise au sein.

LA COHABITATION 24 HEURES SUR 24 AVEC VOTRE BÉBÉ À L'HÔPITAL

En vous adonnant tous deux au contact peau à peau avec votre petit, vous remplacez l'incubateur de la pouponnière pour conserver sa chaleur. Par le passé, la plupart des nouveau-nés étaient tenus au chaud dans un incubateur. Ils étaient davantage éloignés de leurs parents durant les premières heures de vie. De nos jours, en l'absence de complications, le bébé peut cohabiter dès sa naissance avec ses parents, et ce, dans la plupart des hôpitaux du pays. Cela vous permet de faire la connaissance de votre bébé, de prendre confiance en vous pour les soins à lui donner et de le nourrir à la demande. En cas de besoin, un professionnel de la santé vous conseillera et répondra à vos questions. Ces premières heures avec votre nourrisson sont précieuses, profitez-en.

Question de parents

Qu'est-ce que le test d'Apgar ?

Ce test, qui permet de mesurer l'état de santé des nouveau-nés, est effectué par les professionnels de la santé dans ses premières minutes de vie. Il a pour but de vérifier sa fréquence cardiaque, sa respiration, son tonus musculaire, ses réactions aux stimulations et la coloration de sa peau.

	2 points	1 point	0 point
Coloration de la peau	Rose	Pâle ou bleutée aux extrémités	Pâle ou bleutée partout
Rythme cardiaque	Plus de 100 pulsations par minute	Moins de 100 pulsations par minute	0
Irritabilité réflexe	Évitement actif	Grimace	Absente
Tonus musculaire	Mouvements actifs	Faible, passif	Absent
Respiration	Vigoureuse, pleurs	Irrégulière, superficielle ou haletante	Apnée

Mythe

?!

Un bébé pris souvent dans les bras va devenir capricieux.

Cajoler régulièrement votre bébé durant ses premières semaines de vie ne fera pas de lui un bébé gâté. Après sa naissance, il a besoin de se faire rassurer par ses parents. Le contact peau à peau procure d'ailleurs de nombreux bienfaits au nourrisson. Parmi ceux-ci, on retrouve un rythme cardiaque plus stable, un début d'allaitement facilité et moins de pleurs[3, 4].

Le choix de la chambre pour la période postnatale

Dans certains hôpitaux, les parents se retrouvent dans une chambre à occupation simple (par famille) pendant le travail. Ils doivent ensuite déménager dans une nouvelle chambre, qu'ils partageront avec une ou d'autres familles, une fois l'enfant né. Toutefois, si votre budget vous le permet, vous pouvez demander une chambre dans le département postnatal à occupation simple (par famille). Si l'achalandage au département en question est trop élevé, il se peut que le personnel hospitalier ne puisse pas vous accorder le type de chambre désiré. Dans d'autres hôpitaux, les parents occupent une chambre à occupation simple (par famille) tout au long de l'accouchement et de la période postnatale, et ce, sans frais, ce qui favorise leur intimité et leur repos. Renseignez-vous à ce sujet auprès de votre médecin ou lors de votre visite préparatoire à l'hôpital.

QUAND LA RENCONTRE EST PLUS MOUVEMENTÉE QUE PRÉVU...

Dans de rares cas, il arrive qu'une série d'événements perturbe la naissance d'un enfant. Certains doivent recevoir des soins dans un service de néonatologie (ex.: bébé prématuré, troubles respiratoires ou cardiaques, etc.). La mère peut généralement s'y rendre pour allaiter son bébé, si elle le désire et que la situation médicale le permet. Vous pouvez aussi, tous deux, effectuer un contact peau à peau avec lui.

Lors d'un séjour prolongé au service de néonatologie, la méthode kangourou (voir la page 78) est aussi recommandée pour favoriser les liens d'attachement entre votre enfant et vous et favoriser l'allaitement, si vous l'allaitez. Vivez une journée à la fois. Peu importe la nature des complications potentielles, tentez de faire confiance à la vie. Les professionnels de la santé veilleront sur lui.

L'ALLAITEMENT, UN CHOIX PERSONNEL

Selon l'OMS, l'allaitement exclusif au sein, de jour comme de nuit, pendant les six premiers mois, est le mode d'alimentation optimal. Toutefois, la décision d'allaiter ou pas votre petit vous appartient. La manière de nourrir les bébés a beaucoup évolué au cours des dernières décennies au pays. Dans votre entourage, vous trouverez probablement des personnes pro allaitement et d'autres qui vous décourageront d'allaiter. Certaines d'entre elles imposeront peut-être des conseils en matière de nutrition qui ne vous conviennent pas. Notez qu'il existe plusieurs philosophies en matière d'allaitement. Renseignez-vous et suivez ce qui vous convient. N'oubliez pas que donner ou non le sein à son enfant est une décision qui revient aux parents. Entamez la communication à ce sujet dans votre couple (voir la capsule de Julie et Malika Bonapace à la page 164).

Si, pour une raison ou une autre, vous décidez de ne pas allaiter votre enfant, il est suggéré d'en parler à l'animatrice de vos cours prénataux ou à une nutritionniste avant l'accouchement. Elles pourront vous informer au sujet des biberons et des préparations commerciales pour nourrissons. Vous pouvez aussi consulter le guide *Mieux vivre avec notre enfant de la grossesse à deux ans* remis par votre médecin.

L'allaitement maternel 101

Si vous avez décidé d'allaiter votre enfant, il n'est pas recommandé de le forcer à prendre le sein durant les minutes suivant sa naissance. Laissez-lui plutôt le temps d'apprivoiser, de sentir et de toucher sa mère, grâce au contact peau à peau.

La première tétée pourra avoir lieu au cours de la première heure suivant la naissance. Il est essentiel de l'entrevoir comme un lien unissant la mère à son enfant, et non pas comme un défi à relever, dans l'idée de performer. C'est beaucoup plus une rencontre qu'un repas ! Il ne faut surtout pas que la mère se mette de la pression, alors qu'elle se relève à peine de son accouchement. Même si quelques bébés tètent comme des champions dès la première mise au sein, la mère doit comprendre que prendre le sein n'est pas nécessairement quelque chose d'inné pour le bébé. Celui-ci naît avec un réflexe

Mythe

?!

Les instincts maternel et paternel sont innés.

Même si plusieurs parents filent le parfait bonheur avec leur bébé dès sa naissance, l'aiment infiniment et le considèrent comme le plus beau du monde, les instincts maternel et paternel ne sont pas nécessairement innés. Que ce soit parce que vous êtes fatigués ou encore déconcertés par les événements, il se peut que la relation avec votre bébé ne s'établisse pas instantanément. Ne vous culpabilisez pas de ressentir de tels sentiments.

Il est aussi probable que vous vous trouviez maladroits avec votre enfant et que mille et une questions surgissent dans votre esprit. Devenir parent ne vient pas avec un mode d'emploi.

Accordez-vous du temps pour vous reposer et apprivoiser ce petit être qui entre dans votre vie. Au fil des jours, vous vous initierez à votre rôle parental, vous vous sentirez davantage à l'aise et vous tisserez des liens d'attachement. Au besoin, n'hésitez pas à faire appel à des gens de votre entourage, à demander du soutien auprès de votre CSSS ou à une accompagnante à la naissance. Celle-ci peut se déplacer à l'hôpital ou à votre domicile au moment qui vous convient. Elle peut être à l'écoute de vos émotions et répondre à vos questions ; elle peut également vous soutenir pour l'allaitement et les soins à prodiguer à votre nourrisson.

Le choix d'une mère qui n'a donné que le colostrum à son bébé

Parmi les centaines de mères que Sylvie Thibault a accompagnées durant sa carrière, la grande majorité ont allaité leur enfant et elle les a préparées et aidées à le faire. Toutefois, dans certains cas, il lui est aussi arrivé de soutenir des parents dans une voie différente. Elle se souvient d'une mère, qui désirait vivre un accouchement le plus naturellement possible, mais qui ne voulait pas allaiter son enfant: «Lors de notre dernier cours prénatal, la mère en question m'a confié avoir eu un cancer du sein. Elle ne se sentait pas à l'aise d'allaiter son bébé puisque cette partie du corps lui rappelait la maladie qu'elle avait vécue. J'ai compris sa raison et j'ai respecté sa décision. Sans lui mettre de pression, je lui ai men-tionné qu'elle pourrait éventuellement donner un peu de colostrum au cours des heures suivant la naissance. Je lui ai expliqué que le lait maternel des premiers jours était notamment riche en cellules qui permettent la défense de l'organisme de son bébé. Finalement, cette belle grande brune a accouché, sans péridurale, à l'hôpital; elle a donné du colos-trum à son enfant pendant deux jours. Elle l'a ensuite alimenté avec des biberons. J'ai éprouvé un grand respect face à sa décision. Devenir mère exige un don de soi. Il est toutefois important d'écouter ses besoins et ses limites. Chaque femme vit la maternité à sa manière.»

Le rôle des hormones dans l'allaitement et l'importance du repos récupérateur après l'accouchement

La production du lait maternel est déclenchée par une chute de la progestérone, après la déli-vrance du placenta. La production d'ocytocine dimi-nue alors, mais continue tout de même un peu afin de réduire les risques d'hémorragie post-partum. Lors des premières tétées, l'ocytocine est libérée à nouveau chez la mère et permet le réflexe d'éjection du lait maternel. Les endorphines sont aussi pré-sentes dans le lait, ce qui permet au bébé de mieux gérer toute douleur physique liée à l'accouchement (ex.: ecchymose à la suite de son passage dans le bassin). De plus, la production de prolactine, hor-mone de synthèse du lait, augmente de façon mar-quée à la naissance.

Quand la mère et le bébé sont en santé, il s'avère essentiel que la période immédiate après la naissance privilégie le contact peau à peau et une première mise au sein, alors que la mère et son enfant sont éveillés. Ces mesures favorisent les changements hormonaux. Ce moment d'éveil sera souvent suivi, pour l'enfant, d'une période de sommeil de 3 ou 4 heures (pouvant aller jusqu'à 15 à 20 heures si la mère a été soulagée par une péridurale pendant le travail).

J. C.

de succion, mais il devra apprendre à s'en servir. Il lui faudra aussi comprendre que, dorénavant, il sera nourri par les seins de sa mère et non plus par le cordon ombilical. La mère devra elle aussi, de son côté, se familiariser avec l'allaitement. Finalement, il est possible que, ayant accouché depuis peu, elle ait besoin de repos avant de donner le sein. Ne soyez donc pas inquiets si la première tétée n'est pas couronnée de succès et si la mère se sent maladroite. La mise en place de la lactation peut prendre quelques jours, voire quelques semaines. Mettez toutes les chances de votre côté en lisant les pages qui suivent et en vous préparant à l'avance, par l'entremise de cours prénataux.

L'a b c de la mise au sein

Il est recommandé que la mise au sein soit effectuée au moment où le bébé manifeste des signes de faim (voir la page 160). Elle doit se faire une fois que la mère est confortablement installée, dans un climat d'intimité. Pour faciliter l'adaptation, il est conseillé qu'elle approche ensuite son bébé suffisamment près d'elle pour que le menton de l'enfant touche la peau de ses seins. De cette manière, il sera plus enclin à prendre un mamelon par lui-même. Le fait de sentir le sein de sa mère près de sa bouche stimulera son réflexe de succion. Une fois l'allaitement amorcé, la mère pourra se détendre et profiter de ce moment intime et unique avec son petit.

À savoir : Le réflexe d'éjection du lait de la mère est déclenché par la succion du bébé. Toutefois, le simple fait d'entendre son bébé pleurer ou de penser à lui peut le stimuler. La mère ne doit donc pas être surprise de voir, à l'occasion, son soutien-gorge mouillé à la suite d'une explosion de lait !

L'importance de se reposer après l'accouchement

Pour assurer un bon démarrage de l'allaitement et récupérer de l'accouchement, même si vous ressentez des sentiments d'euphorie, il est conseillé de vous reposer lorsque votre bébé s'endormira de lui-même, deux à trois heures après l'accouchement (voir la capsule du Dr Julie Choquet). De cette façon, vous éviterez que la fatigue vous rattrape dans les heures et jours à venir. Pendant la période où votre bébé récupère de l'accouchement, qui peut durer plusieurs heures, fermez les rideaux de votre chambre et tentez de dormir. Préparez-vous mentalement : après son réveil, votre bébé devra être mis au sein toutes les deux à trois heures pour stimuler la montée laiteuse (pour les mères qui allaitent). Dès lors, vous devrez suivre le rythme de sommeil de votre enfant, qui est différent du vôtre, et ce, pendant ses premiers mois de vie (voir la page 183).

Deux positions d'allaitement à essayer

Il est recommandé de varier les positions pendant l'allaitement. Voici deux positions de base.

Position classique ou de la « Madone »

La mère est assise confortablement, son dos soutenu par un dossier. Le bébé est sur le côté. Tout son corps est tourné vers le sein, son nombril face au ventre de sa mère. Son oreille, son épaule et sa hanche sont en ligne droite, ses fesses sont soutenues par une main et sa tête repose sur l'un des avant-bras de la mère, au pli de son coude. Le poids du bébé ne doit pas être sur les bras. La mère peut s'appuyer sur un coussin d'allaitement ou un oreiller[5].

Marche à suivre pour la mise au sein

1 Pointez le mamelon vers le nez du bébé.

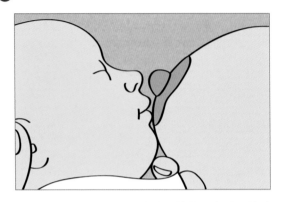

2 Lorsque son menton touche votre sein, passez douce-ment votre mamelon sur sa lèvre supérieure. Attendez que votre bébé ouvre sa bouche. Quand cela arrive, approchez votre bébé rapidement du sein; il devrait le prendre de lui-même.

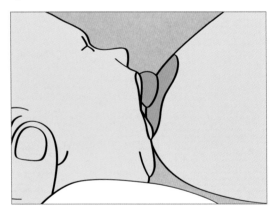

3 Votre bébé doit prendre une grande partie de l'aréole et non pas seulement le mamelon. De cette façon, il devrait être en mesure d'extraire le lait des espaces d'approvisionnement autour du mamelon et ne devrait pas causer de blessures au mamelon.

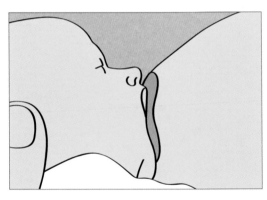

Lorsque le bébé a pris le sein, son nez ne touche pas le sein, seul son menton y touche.

Position couchée

La mère est allongée sur le côté, la tête appuyée sur un oreiller ou sur son bras, la jambe supérieure repliée pour ne pas basculer vers l'avant. Le bébé est allongé sur le côté face à sa mère, retenu en arrière par le bras de sa mère. La bouche est au niveau des seins. Il est suffisamment loin du rebord du lit pour ne pas risquer de tomber. Cette position est très appréciée par la plupart des mamans parce qu'elle favorise le repos et est idéale pour les tétées de nuit[6].

Si la première mise au sein ne fonctionne pas

Au cours de la première heure suivant l'accouchement, le contact peau à peau est plus important que la réussite de la mise au sein. Sachez que votre bébé ne souffrira pas de malnutrition. Il ne sera pas complètement à jeun puisqu'il aura été nourri, tout au long du travail, par l'entremise du cordon ombilical. De plus, étant donné que la taille de son estomac peut se comparer à celle d'une cerise (voir l'aide-mémoire à la page 162), quelques millilitres de colostrum combleront ses besoins (voir ci-dessous). Au besoin, demandez à l'infirmière ou à une accompagnante à la naissance de vous aider à en extraire quelques gouttes pour ensuite nourrir votre bébé à la cuillère.

Le colostrum, le lait des premiers jours

Dès le moment où votre bébé prend le sein pour la première fois, il y trouve du colostrum, qui est entre autres très riche en anticorps. La montée laiteuse, quant à elle, survient entre la deuxième et la cinquième journée suivant la naissance (voir la page 160). Le colostrum sera alors progressivement remplacé par le lait maternel. Hormis celle ayant lieu suivant la naissance, il est souhaitable

Question de parents

Est-ce qu'une mère peut allaiter après une césarienne ?

Une mère qui a accouché par césarienne sous analgésie péridurale peut allaiter rapidement son bébé, idéalement dans la première heure suivant la naissance. Si elle a reçu une anesthésie générale, elle peut l'allaiter dès qu'elle sera totalement réveillée. D'ailleurs, un nombre croissant d'hôpitaux permettent une première tétée dans la salle de réveil.

Sinon, en attendant le retour de la mère dans la chambre attribuée pour la période postnatale, le père peut en profiter pour établir un contact peau à peau avec son enfant, assisté au besoin d'une infirmière ou d'une accompagnante à la naissance. Il peut poser sur son épaule un vêtement déjà porté par la mère pour rappeler au bébé l'odeur de sa maman.

que les mises au sein soient tentées après le repos récupérateur et pendant les périodes d'éveil de l'enfant (voir la capsule du Dr Julie Choquet à la page 156).

La production de lait : la loi de l'offre et de la demande

Pour bien démarrer la production laiteuse au cours des premiers jours, les seins doivent être stimulés. Plus ils seront vidés souvent, plus ils produiront de lait. Après le repos récupérateur, votre enfant doit téter environ de 8 à 12 fois par période de 24 heures. Si le bébé dort beaucoup, observez-le et, dès qu'il manifeste des signes d'éveil, même légers, stimulez-le un peu pour le nourrir (ex. : chatouillez-lui la plante des pieds). La mère peut aussi exprimer son lait manuellement ou avec un tire-lait dans les premiers jours, si le bébé ne tète pas bien ou prend mal le sein. Pour en savoir plus au sujet de l'expression du lait maternel, consultez le guide *Mieux vivre avec notre enfant de la grossesse à deux ans* remis par votre médecin.

Bien souvent, vers la deuxième nuit, le bébé est plus éveillé et manifeste le besoin de téter plus souvent. Il stimule ainsi la montée laiteuse. Cette période peut se révéler ardue pour la mère. Il est recommandé que son conjoint ou une personne accompagnatrice la soutienne à ce moment-là.

Un enfant bien nourri ?

Il est recommandé d'allaiter votre bébé à la demande, sans limiter le nombre ni la durée des tétées. Pour boire suffisamment :

- le bébé doit prendre correctement le sein et téter efficacement (voir l'encadré page 158) ;
- le bébé ne doit pas prendre seulement le mamelon, mais une grande partie de l'aréole dans sa bouche ;
- le mamelon doit pointer vers le palais du bébé, et non vers sa langue ;
- la lèvre du bas du bébé doit couvrir une plus grande partie de l'aréole que sa lèvre du haut, son menton doit toucher le sein, son nez doit en être dégagé ; le

bébé doit effectuer des pauses durant lesquelles vous l'entendez avaler.

Un bébé qui prend bien le sein semble satisfait après avoir bu et urine de plus en plus souvent. À partir de la cinquième journée, il mouille au moins six couches et fait au moins trois selles par 24 heures (voir l'aide-mémoire à la page 162)[7].

Un rythme de croisière différent pour chaque bébé

Lors du démarrage de l'allaitement, le boire (incluant la tétée, le rot et le changement de couche) peut durer de 45 à 90 minutes[8]. Au fur et à mesure que votre enfant s'adapte à l'allaitement, la succion devient plus efficace et les tétées sont généralement plus courtes et espacées. Son estomac étant petit et le lait maternel se digérant rapidement, il est normal qu'il tète souvent au cours des premières semaines. Il ne sert donc à rien de minuter les tétées. Observez plutôt les signes de faim et de satisfaction de votre nourrisson, car chaque enfant a des besoins différents en matière d'allaitement. Certains prennent le sein plus longtemps que d'autres, par exemple. C'est pourquoi, plutôt que d'imposer un horaire fixe pour les tétées, il est conseillé que la mère réponde aux demandes de son bébé.

Savoir reconnaître les signes de faim

Votre enfant vous fait comprendre qu'il a faim de plusieurs façons : il bouge rapidement les yeux, remue ses bras et ses jambes, porte ses mains à sa bouche ou à son visage, il cherche le sein et fait des mouvements et des sons de tétées. Dès la manifestation de tels signes, il est recommandé de le nourrir. Si vous attendez qu'il pleure, il risque de se fâcher et la mise au sein sera plus difficile. Une fois qu'il se montre rassasié, ne forcez pas votre bébé à boire davantage. S'il n'a plus faim, il arrêtera par lui-même de se nourrir. Au cours des premiers jours, vous apprendrez à connaître ses besoins alimentaires. Au besoin, n'hésitez pas à demander conseil à une professionnelle de l'allaitement.

Mythe
?!

Beaucoup de femmes ne produisent pas assez de lait.

Il est rare qu'une cause physiologique empêche une femme de produire assez de lait. Le problème est plutôt relié à une stimulation insuffisante des seins, ce qui diminue la production de lait. Offrir des préparations commerciales pour nourrissons ne fera qu'empirer le problème puisque les seins seront moins stimulés. Il est préférable d'offrir le sein à la demande du bébé, sans limiter la durée de la tétée. La mère doit aussi s'assurer que le bébé tète comme il faut et qu'il a une bonne succion. Ce n'est habituellement pas parce que la mère manque de lait que le bébé demande le sein souvent. Cette situation est plutôt causée par des poussées de croissance (voir la page 163).

Aide-mémoire
pour les mères qui allaitent[9]

Âge de votre bébé	1 JOUR	2 JOURS	3 JOURS	4 JOURS	5 JOURS	6 JOURS	7 JOURS	2 SEMAINES	3 SEMAINES

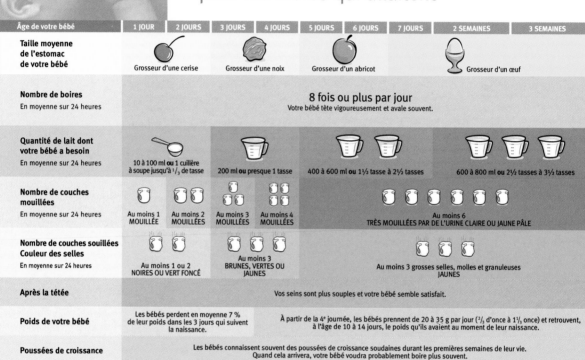

Taille moyenne de l'estomac de votre bébé
Grosseur d'une cerise — Grosseur d'une noix — Grosseur d'un abricot — Grosseur d'un œuf

Nombre de boires
En moyenne sur 24 heures
8 fois ou plus par jour
Votre bébé tète vigoureusement et avale souvent.

Quantité de lait dont votre bébé a besoin
En moyenne sur 24 heures
10 à 100 ml **ou** 1 cuillère à soupe jusqu'à ¹/₃ de tasse — 200 ml **ou** presque 1 tasse — 400 à 600 ml **ou** 1½ tasse à 2½ tasses — 600 à 800 ml **ou** 2½ tasses à 3½ tasses

Nombre de couches mouillées
En moyenne sur 24 heures
Au moins 1 MOUILLÉE — Au moins 2 MOUILLÉES — Au moins 3 MOUILLÉES — Au moins 4 MOUILLÉES — Au moins 6 TRÈS MOUILLÉES PAR DE L'URINE CLAIRE OU JAUNE PÂLE

Nombre de couches souillées Couleur des selles
En moyenne sur 24 heures
Au moins 1 ou 2 NOIRES OU VERT FONCÉ — Au moins 3 BRUNES, VERTES OU JAUNES — Au moins 3 grosses selles, molles et granuleuses JAUNES

Après la tétée
Vos seins sont plus souples et votre bébé semble satisfait.

Poids de votre bébé
Les bébés perdent en moyenne 7 % de leur poids dans les 3 jours qui suivent la naissance. — À partir de la 4ᵉ journée, les bébés prennent de 20 à 35 g par jour (²/₃ d'once à 1¹/₃ once) et retrouvent, à l'âge de 10 à 14 jours, le poids qu'ils avaient au moment de leur naissance.

Poussées de croissance
Les bébés connaissent souvent des poussées de croissance soudaines durant les premières semaines de leur vie. Quand cela arrivera, votre bébé voudra probablement boire plus souvent.

OÙ TROUVER DE L'AIDE

Il existe divers services de soutien à l'allaitement maternel. Consultez votre médecin, votre infirmière ou votre sage-femme.
Votre **Centre de santé et de services sociaux** ou **Info-Santé 811** peuvent vous aider. Ils peuvent aussi vous diriger vers des ressources communautaires, des consultantes en lactation ou des cliniques d'allaitement en fonction de vos besoins et des ressources disponibles dans votre région.

Est-ce normal que les selles du bébé soient vertes et que son urine soit jaune foncé ?

Pendant les premiers jours, s'il boit assez, votre enfant élimine ses premières selles (le méconium) qui sont foncées, vertes, voire noires et collantes. Par la suite, pendant la première année, la fréquence et la consistance des selles varieront selon le type d'alimentation de votre bébé. Vous apprendrez peu à peu à reconnaître ses selles normales.

Les urines peuvent être plus foncées et plus concentrées au cours des deux premiers jours. Puis, elles deviendront plus fréquentes, plus claires et sans odeur, signes que votre bébé boit suffisamment. Un bébé ne boit peut-être pas assez s'il a des urines jaune foncé ou peu abondantes, ou s'il a des selles qui contiennent encore du méconium après son cinquième jour de vie[10]. Au moindre doute, n'hésitez pas à consulter une professionnelle de l'allaitement ou votre médecin.

Un sein ou deux ?

Lors d'une tétée, la mère peut faire boire son bébé à un premier sein jusqu'à ce que le nourrisson soit satisfait. Lorsqu'il le lâche, elle peut le compresser afin d'augmenter le jet de lait maternel, riche en gras, lequel participe à la construction du cerveau de l'enfant. S'il a encore faim, il continuera à boire grâce à la compression, et finira par relâcher le sein de nouveau. Ensuite, la maman pourra lui faire faire un rot et lui offrir l'autre sein. S'il a encore faim, il se remettra probablement à boire.

Il est possible de changer de sein plus d'une fois durant une même tétée, et ce, jusqu'à ce que l'appétit du petit soit comblé. Pendant que ce dernier tète à un sein, du lait s'accumule en effet de nouveau dans l'autre. Pour éviter des problèmes d'engorgement (voir la page 179) lors de la tétée suivante, il serait entre autres préférable de commencer par le sein duquel le bébé a bu le moins.

Les poussées de croissance

Votre bébé vivra des poussées de croissance durant les premiers mois, et ce, dès les premiers jours. Il boira alors plus souvent, parfois même toutes les heures. Ces périodes passagères peuvent être exigeantes pour la mère. Il est alors recommandé qu'elle dorme dès que son bébé s'assoupit et que les membres de son entourage la soutiennent dans les autres tâches (ex.: repas, lavage, bain du bébé, etc.).

Offrir une préparation commerciale pour nourrissons ou donner des céréales pour bébés n'est pas une solution. Le fait de moins stimuler les seins peut nuire à la production de lait. De plus, il est habituellement indiqué d'attendre 6 mois avant d'introduire des céréales pour bébés ou tout autre aliment complémentaire au lait. Avant cet âge, les capacités de l'enfant à bien saliver et à digérer sont limitées. Selon le rythme de croissance de votre enfant, il peut arriver que les aliments complémentaires soient nécessaires plus tôt. Toutefois, il ne faut pas y recourir avant l'âge de 4 mois[11].

L'importance d'être accompagnée dans l'allaitement

Certaines mères disent que l'allaitement est beaucoup plus aisé qu'elles ne l'avaient imaginé et que cela s'avère l'une des plus merveilleuses expériences de leur vie ! Cependant, s'il y a échec d'une ou de plusieurs mises au

Est-ce normal que le bébé perde du poids à la naissance ?

Même s'il boit assez, un nourrisson perd environ de 5 à 10 % de son poids au cours de ses premiers jours de vie ; c'est normal. Les raisons sont nombreuses : il boit peu, évacue le méconium de son intestin, perd de l'eau en passant d'un milieu liquide à un milieu aérien et en éliminant les liquides potentiellement reçus pendant l'accouchement (ex. : le soluté [voir la page 56])[12].

La plupart des bébés qui boivent suffisamment de lait retrouvent leur poids de naissance vers la deuxième semaine (entre 10 et 14 jours). Jusqu'à l'âge de 3 mois, un bébé peut prendre environ 170 à 280 grammes par semaine[13]. Pour savoir s'il boit suffisamment, le poids est un bon indicateur, mais il n'est pas recommandé de peser votre bébé chaque jour. Apprenez plutôt à reconnaître ses signes de faim et à le nourrir efficacement à sa demande. Le nombre de fois qu'il urine et évacue des selles est aussi un indice fiable au quotidien pour savoir s'il reçoit assez de lait (voir l'aide-mémoire à la page 162). N'hésitez pas à en parler à une professionnelle de l'allaitement.

Être parents ensemble

Père et allaitement ne sont pas deux réalités sans lien. Le soutien, la compréhension et le savoir-faire du père peuvent contribuer au succès de l'allaitement. Mais par où commencer ? Voici quelques points pour faciliter la relation «père-mère-enfant» dans l'allaitement :

- Consulter des gens de votre entourage qui ont vécu avec succès leur allaitement pour connaître leurs trucs ;
- Assister ensemble à une préparation à l'allaitement dans le cadre de cours prénataux ;
- Discuter des façons dont le père peut faciliter l'allaitement. Par exemple, il peut calmer l'enfant avant le boire, s'assurer que la mère et l'enfant sont bien installés, faire faire le rot et soutenir émotionnellement sa conjointe.

L'important est de vous informer et de discuter d'un plan d'action pour tenter d'atteindre vos objectifs communs. La préparation en ce sens facilite cette transition.

J. B. et M. B.

Mythe

?!

Allaiter est douloureux.

Bien qu'une certaine sensibilité au niveau des seins soit relativement fréquente lors des premiers jours d'allaitement, il n'est pas normal que la mère ait mal au point d'appréhender de donner le sein. Dans une telle situation, il est indiqué qu'elle consulte une professionnelle de l'allaitement pour vérifier la cause de la douleur. Elle s'assurera notamment que la prise de sein du bébé est adéquate. Si votre bébé tète seulement le mamelon et non pas la grande partie de l'aréole, cela peut créer des gerçures (voir la page 181) qui sont généralement douloureuses pour la mère.

sein au cours des premiers jours, la mère peut vivre de l'inquiétude, surtout si elle n'est pas adéquatement accompagnée. Elle peut se montrer découragée et penser qu'elle n'est pas destinée à allaiter, ou que son bébé n'est pas intéressé par ses seins. Dans une telle situation, il est conseillé qu'elle se repose et prenne confiance en ses capacités. Les membres de son entourage peuvent l'encourager et la soutenir dans les tâches de la maison.

L'allaitement devrait s'améliorer de tétée en tétée. Si la mère désire poursuivre l'allaitement, il est recommandé qu'elle nourrisse son enfant avec son propre lait par l'entremise d'un moyen autre que le biberon (ex. : cuillère,

gobelet, pipette et dispositif d'aide à l'allaitement). Au besoin, elle peut joindre des amies ayant déjà allaité, son CSSS, des cliniques d'allaitement ou une accompagnante à la naissance pour avoir du soutien. En période de difficulté, il n'est pas recommandé de s'isoler. La mère doit garder espoir que les prochaines tétées seront davantage concluantes. Établir des contacts peau à peau réguliers avec son bébé, persévérer et être adéquatement accompagnée sont souvent les meilleures garanties de réussite de l'allaitement. La mère évitera ainsi de la fatigue, du stress et des douleurs inutiles.

Quand peut-on introduire le biberon pendant l'allaitement ?

Pendant les 4 à 6 premières semaines (ou une période plus longue, si l'allaitement est fragile), il n'est pas recommandé d'introduire un biberon, afin de ne pas nuire à la mise en route de la lactation[14]. En effet, plus le bébé tète, plus il stimule la production de lait. S'il est rassasié par un biberon, il tétera moins. Moins sollicités, les seins produiront moins de lait. Le bébé aura sûrement faim à la fin de la tétée et la mère sera tentée de lui donner un autre biberon. Vous entrerez alors dans un cercle vicieux qui peut compromettre l'allaitement. Par ailleurs, proposer un biberon peut amener le bébé à confondre le sein et la tétine, dont les techniques de succion sont différentes. Pour pouvoir prendre une grande partie de l'aréole du mamelon, le bébé doit ouvrir davantage sa mâchoire. L'exercice est plus exigeant que pour prendre seulement la tétine du biberon. De

plus, il doit comprendre que le lait proviendra des seins de sa mère pendant les premières semaines et non pas d'un biberon.

Les premiers jours, il est donc essentiel de stimuler les seins fréquemment, notamment en faisant téter le bébé aussi souvent qu'il le souhaite. Cependant, une fois l'allaitement démarré avec succès depuis quelques semaines, vous pourrez introduire très graduellement le biberon (ex. : 1 biberon par 24 heures pendant quelques jours), si vous le désirez. Optez pour des tétines à débit lent et, si possible, donnez du lait maternel que vous aurez préalablement tiré plutôt que des préparations commerciales pour nourrissons. Cela facilitera le maintien d'une bonne production de lait. Cette pratique permet au père d'aider sa partenaire, si tel est le désir de cette dernière.

Si le bébé n'est pas allaité, quel lait doit-on acheter ?

Santé Canada recommande d'offrir des préparations commerciales pour nourrissons enrichies de fer aux bébés qui ne sont pas allaités, jusqu'à l'âge de 9 à 12 mois. Les préparations commerciales pour nourrissons sont de qualité comparable, grâce au contrôle de Santé Canada[15]. Il n'y a pas une marque meilleure qu'une autre. N'hésitez pas à en parler à votre médecin, à une nutritionniste ou à une accompagnante à la naissance. Si votre bébé semble allergique aux protéines de lait de vache, votre médecin vous prescrira un lait spécial hypoallergénique.

PREMIERS BAINS ET CHANGEMENTS DE COUCHES

Lors des premières journées passées avec votre enfant, outre le contact peau à peau et l'allaitement, vous vous initiez à ses premiers soins, comme le bain et les changements de couches. Ne soyez pas surpris d'être un peu malhabiles ; c'est normal. Si vous ressentez le besoin de prendre de l'assurance avant de prodiguer le premier bain à votre petit, vous pouvez demander l'assistance d'une infirmière à l'hôpital. Vous pouvez aussi réserver cette tâche pour votre retour à la maison. Il n'y a pas d'urgence à nettoyer rapidement votre bébé ; ce choix vous appartient. Environ 4 heures après la naissance, la température et la fréquence cardiaque et respiratoire de votre enfant se stabiliseront, s'il n'y a pas de complications. On veut souvent donner rapidement un bain pour des raisons esthétiques. Néanmoins, pour ne pas abîmer sa peau, il est souhaitable d'attendre au moins 24 heures avant de le nettoyer dans l'eau. Une fois le premier bain effectué, les meilleurs moments pour donner les suivants sont ceux où votre bébé semble y être disposé. Privilégiez les périodes où il n'a pas faim et où il n'est pas fatigué. Au fil des jours, vous définirez les moments idéaux pour vous et lui. Votre bébé devrait éprouver plaisir et détente dans l'eau. Profitez-en pour mieux le connaître, lui parler et jouer avec lui.

Un bain tous les jours ?

Pendant les premières semaines de vie, il n'est pas nécessaire de donner le bain à votre nourrisson plus de deux ou trois fois par semaine. Votre bébé a une peau très fragile. Plus vous le nettoierez, plus elle sera sèche. Cependant, vous pouvez laver son visage, son cou, ses organes génitaux et ses fesses à l'aide d'une débarbouillette sur une base quotidienne. Vous trouverez l'information détaillée au sujet de la routine du bain et du nettoyage à la débarbouillette dans le guide *Mieux vivre avec notre enfant de la grossesse à deux ans* donné par votre médecin. Assistez-vous mutuellement lors des premières expériences de bain. Vous devriez ainsi vous sentir plus à l'aise. Au fil du temps, vous serez de plus en plus habiles. Par après, cette tâche pourra être déléguée au père, si cela lui convient. Les hommes apprécient généralement de participer à ce soin.

Des couches jetables ou lavables ?

Dès la première journée, vous devrez changer les couches de votre bébé. Pendant votre séjour à l'hôpital, il sera plus facile d'utiliser des couches jetables. Après, vous pourrez opter pour des couches lavables, si vous le désirez. Avant l'accouchement, parlez des choix possibles en matière de couches à une animatrice de cours prénataux.

?!

On doit appliquer de l'oxyde de zinc à chaque changement de couche.

Les crèmes à base d'oxyde de zinc ou de calendula doivent seulement être utilisées si la peau des fesses est irritée. Sur une base quotidienne, s'il n'y a pas de complications, il est préférable de laver les fesses de votre poupon à l'eau tiède et de bien les assécher, tout simplement.

Que vous utilisiez des couches jetables ou lavables, il est indiqué de changer la couche de votre bébé régulièrement, particulièrement après une selle. Cette mesure hygiénique vous permet de prévenir l'irritation de sa peau. Faites-vous aider par l'infirmière lors de vos premiers changements de couches à l'hôpital, au besoin. Vous pouvez aussi suivre les consignes du guide *Mieux vivre avec notre enfant de la grossesse à deux ans* remis par votre médecin.

VERS UN RETOUR À LA MAISON

Le séjour en centre hospitalier est d'environ deux jours après un accouchement vaginal et de trois à quatre jours après une césarienne. Les parents profitent de cette période pour se familiariser avec les soins à prodiguer à leur nouveau-né. Le séjour peut se prolonger si la mère ou le bébé vit de petites complications (ex.: une jaunisse).

Quelques jours après votre retour à la maison, une infirmière de votre CSSS vous visitera dans le cadre d'une rencontre d'assistance. Si vous avez besoin de soutien supplémentaire, vous pouvez joindre votre CSSS ou une accompagnante à la naissance. Notez qu'en maison de naissance, le séjour dure environ 24 heures après la naissance. Votre sage-femme vous visitera ensuite à quelques reprises, après votre retour à votre domicile.

Question de parents

À quel moment nos parents et amis peuvent-ils nous visiter à l'hôpital ?

Beaucoup de parents sont fiers comme des paons de leur enfant et veulent le présenter aux personnes de leur entourage. D'autres se sentent plus fatigués qu'ils ne l'avaient prévu. Peu importe votre état, il n'est pas souhaitable d'inviter qui que ce soit, aussi longtemps que vous n'aurez pas eu l'occasion de récupérer un peu de la fatigue de l'accouchement.

Après le repos récupérateur, vous pourrez inviter les personnes de votre entourage, en fonction de la politique d'accueil de votre centre hospitalier. De plus, ne perdez pas de vue qu'il peut s'avérer plus utile de profiter des conseils des professionnels de la santé pour les soins de votre bébé (ex.: donner un bain, changer les couches, etc.) que de recevoir beaucoup de visiteurs. De plus, si la mère essaie d'allaiter son enfant, il est souhaitable qu'elle se sente à l'aise de le faire devant eux. Déterminez donc à l'avance les personnes que vous désirez voir à l'hôpital (voir l'activité à la page 171). Chaque couple de parents a des besoins différents en matière de visite. Il est conseillé d'entamer la communication à ce sujet avec vos parents et amis avant l'accouchement, en leur mentionnant vos besoins et limites.

Info nutrition

Menu « cadeau » boîte à lunch

Après l'accouchement, vous aurez probablement faim. Pourquoi ne pas demander à vos proches de vous apporter un repas appétissant et bon pour la santé au lieu de la nourriture servie dans les hôpitaux ? Voici un exemple de menu riche en protéines et en glucides pour refaire vos réserves d'énergie et vous réhydrater après l'exercice intense qu'est l'accouchement.

Repas principal

- Salade de quinoa, crevettes, avocat, poivrons et asperges
- Vinaigrette à base d'huile d'olive, jus de citron et miel

Dessert/breuvage

- Smoothie : boisson de soya nature, yogourt grec nature, fraises, ananas, sirop d'érable et gingembre frais

Si les membres de votre entourage n'ont pas le temps de cuisiner, demandez-leur de vous commander un repas bon pour la santé au restaurant. Permettez-vous enfin un mets dont la mère s'est privée durant sa grossesse, des sushis par exemple.

M. L.

Question de parents

Doit-on nettoyer le vernix du bébé à la naissance ?

L'épiderme d'un nouveau-né est couvert de vernix, une substance blanchâtre et grasse, qui protège sa peau dans l'utérus. Certains bébés ont un épais vernix sur la peau à la naissance. Cette substance est normale. À la naissance, votre bébé peut être légèrement épongé avec une serviette, mais il n'est pas indiqué de lui donner rapidement un bain. Vous pouvez le masser un peu pour que le vernix soit absorbé par sa peau.

De la théorie à la pratique

Vous trouverez toutes les activités de ce livre sur le site mereetmonde.com

ACTIVITÉ 1 : PLANIFICATION DES VISITES APRÈS L'ACCOUCHEMENT

Pendant la grossesse, il est recommandé d'ouvrir la communication avec les membres de votre entourage à propos des services qu'ils pourraient vous rendre pendant votre séjour à l'hôpital pour vous aider à mieux vous relever de l'accouchement (voir l'activité à la page 126). Vous pouvez ensuite remplir le tableau suivant.

JOURS	NOMS DES VISITEURS	TYPES DE SERVICES
Jour 1 après la naissance (à l'hôpital)	Aucun visiteur : repos récupérateur	
Jour 2 après la naissance (à l'hôpital)		
Jour 3 après la naissance (à la maison ou à l'hôpital)		
Jour 4 après la naissance (à la maison ou à l'hôpital)		
Jour 5 après la naissance (à la maison ou à l'hôpital)		

Note : Il est conseillé de respecter vos besoins et vos limites en ce qui concerne les visites. Vous n'êtes pas obligés de remplir toutes les cases du tableau. Conservez aussi des moments d'intimité et de repos avec votre bébé.

Le retour à la maison et les premières semaines avec son enfant

Vous êtes sûrement très heureux de retourner dans la quiétude et le confort de votre foyer, avec bébé dans les bras. Il est probable que vous ressentiez une grande joie de lui faire découvrir son nouvel environnement, de le rassurer, de le cajoler et de le présenter à vos proches, voire à ses frères et sœurs. La plupart des parents prennent un immense plaisir à chouchouter leur nouveau-né. Cette période unique figure parmi les moments les plus heureux de leur vie. Ils souhaiteraient que la magie des premiers mois perdure ; qu'ils puissent continuer à serrer leur nourrisson dans leurs bras pendant plusieurs années. Toutefois, durant cette période, il est aussi possible que vous osciliez entre l'euphorie et l'inquiétude que vous cause le fait de prendre soin de votre enfant, qui semble si fragile à vos yeux.

Mélange d'extase et de nuits blanches, les premières semaines suivant l'accouchement se révèlent exaltantes, mais exigeantes. Vous vous retrouvez dans le tourbillon de la vie ! Vous êtes peut-être étonnés de constater à quel point la naissance de votre bébé chamboule vos habitudes ; la maison est en désordre et vous vous sentez fatigués. Pendant les neuf mois de la grossesse, vous n'avez pas nécessairement réalisé à quel point la naissance d'un enfant allait changer votre vie. La plupart des parents mettent l'accent sur l'accouchement et ne prévoient pas nécessairement l'ampleur des changements qui surviennent lors de la période postnatale, qui comporte de grandes joies, mais aussi de la fatigue, et des appréhensions.

Il est probable que vous trouviez intenses les premières semaines avec votre nourrisson, que vous vous sentiez malhabiles, que vous ne compreniez pas ses besoins et ses pleurs et que vous doutiez de vos capacités parentales. La plupart des femmes et des hommes n'ont pas pris régulièrement dans leurs bras un nouveau-né avant de devenir parents eux-mêmes. Même si votre enfant ne vient pas avec un manuel d'instructions, détendez-vous. Il n'a aucune notion du parent parfait. Vous êtes les premières personnes à en prendre soin ; il n'a aucune autre référence. À travers vos incertitudes, vous apprenez chaque jour à mieux le connaître ; il est unique et ne ressemble à aucun autre. Ses premiers sourires vous donnent l'énergie de vous en occuper, malgré la fatigue. Les heures passées à ses côtés vous permettent de vous sentir à l'aise et de devenir les personnes les plus aptes à en prendre soin. Faites équipe ensemble et ayez confiance en vos capacités parentales. Les conseils des membres de votre entourage ou d'une accompagnante à la naissance peuvent aussi vous être utiles.

De retour à la maison, relisez cette dernière leçon au besoin, pour mieux vous préparer à devenir parents. Il est aussi recommandé de consulter des ouvrages sur les soins et l'éducation des enfants ainsi que le guide *Mieux vivre avec notre enfant de la grossesse à deux ans* remis par votre médecin. Ainsi, vous serez éventuellement à l'aise dans des tâches qui vous effrayaient au début. Pour taire vos inquiétudes d'ordre médical, vous pouvez joindre la ligne téléphonique d'Info-Santé en composant le 811, ou consulter votre médecin.

S'ORGANISER ET FAVORISER LE REPOS : LA CLÉ DU BIEN-ÊTRE

En prévision de la fatigue engendrée par les nuits écourtées, les boires, les changements de couches et les pleurs fréquents, vous pouvez tenter d'organiser votre routine postnatale quotidienne à l'avance pendant votre grossesse (voir l'activité à la page 189). Au cours des premières semaines suivant l'accouchement, il est préférable de limiter vos activités ménagères et sociales. Il est plutôt conseillé de prendre le temps de découvrir les besoins de votre nouveau-né. Ce dernier se réveille souvent la nuit pour boire et cette situation est normale. Adaptez-vous à ses besoins. Tentez de dormir 8 heures ici et là dans une période de 24 heures, autant que possible en même temps que votre bébé. Sachez notamment qu'il n'est pas nécessaire de dormir profondément, lors des siestes, pour recharger ses batteries.

Soucieux d'être parfaits, plusieurs parents s'activent à nettoyer la maison, à cuisiner et à faire le lavage quand leur enfant dort pendant la journée. Même si leurs nuits ont été écourtées, ils ne prennent pas le temps de se reposer. Au fil des semaines, ils finissent par s'épuiser et risquent davantage de se disputer (voir la page 187), et la mère peut faire une dépression post-partum (voir la page 178). Pour prévenir ces problèmes, il est aussi souhaitable de déléguer certaines tâches ménagères à des membres de votre entourage ou à une aide ménagère. D'ailleurs, des services de soutien pendant la période postnatale peuvent s'avérer des cadeaux très intéressants à suggérer à vos proches (voir la page 125). Vous pourrez ainsi dormir comme un bébé !

À savoir : L'allaitement stimule la sécrétion de la prolactine et aide la mère à dormir en même temps que son bébé.

L'allaitement et le contact peau à peau pour la mère

Une femme qui allaite son enfant peut y consacrer jusqu'à 12 heures par jour. Autrefois, pour mieux récupérer de l'accouchement et s'adapter aux besoins de son petit, la nouvelle mère gardait le lit pendant une quarantaine de jours, période de récupération de l'accouchement et de mise en place de la lactation. Elle allaitait son bébé à la demande, effectuait des contacts peau à peau ; elle mangeait et dormait en même temps que lui. Pour la soutenir, des femmes de la famille prenaient soin de la maisonnée.

De nos jours, les rôles ont changé dans la société. Le père est davantage impliqué auprès de sa famille. Il remplace bien souvent, à lui seul (ou toute personne accompagnant la mère pendant les premiers jours), les femmes qui étaient jadis en charge des relevailles. Même si les rôles ont changé, il est recommandé que la mère se donne le temps de récupérer de l'accouchement et de se concentrer sur son rôle de nourricière (qu'elle allaite ou non), lors des premières semaines de vie de son enfant. Pendant la grossesse, discutez des habiletés potentielles de la mère. Déterminez les tâches parentales pour lesquelles elle se sent à l'aise. D'un couple à un autre, les besoins changent.

Le contact peau à peau, les bains et les couches pour le père

Le père peut participer aux soins de l'enfant de plusieurs façons, dès les premiers jours. Plus tôt il va s'impliquer auprès de son petit, plus tôt il prendra confiance en ses capacités paternelles. Tout comme sa partenaire, il peut faire faire le rot à son bébé, changer sa couche, établir des contacts peau à peau avec lui, le masser, l'endormir, le promener à l'extérieur de la maison, lui donner le bain, jouer avec lui, l'habiller, le calmer lors de crises de coliques (voir la page 186) et prendre soin des autres enfants de la maisonnée (s'il y a lieu). Il peut aussi effectuer quelques emplettes, cuisiner, faire le lavage et un peu de ménage. Cependant, il ne doit pas hésiter à faire appel à de l'aide extérieure pour entretenir la maisonnée. Tout comme sa conjointe, il dormira moins bien qu'à l'habitude. La plupart des pères doivent retourner au travail assez rapidement. Pendant la grossesse, discutez des habiletés potentielles du père. Déterminez les tâches parentales pour lesquelles il se sent à l'aise.

pour les couples

Conseil

Le massage de bébé : un moment de partage privilégié

Il est bien connu que le toucher est un excellent moyen de réduire le stress et de favoriser le bien-être. Les recherches démontrent que le fait de caresser un être cher favorise la sécrétion de l'hormone de l'amour, l'ocytocine. Le massage de votre bébé n'a pas besoin d'être compliqué. Il suffit de prendre quelques précautions, puis de suivre votre instinct en massant chaque grande partie du corps.

Marche à suivre

- Installez-vous dans une pièce à l'abri des courants d'air, où la température est d'environ 22,5 °C (72,5 °F);
- Enduisez le creux de votre main d'huile végétale telle que l'huile de noix de coco ou d'amande douce (si vous n'avez pas d'allergies à ces huiles), et frottez vos mains ensemble pour la réchauffer.
- Placez le bébé sur le dos, étendez l'huile sur toute la surface de son corps et commencez le massage par les orteils, en prenant soin de les étirer et de passer le doigt entre chacun d'eux.
- Avec les pouces, appuyez fermement sous les pieds. Empoignez la cheville et, tout en gardant une pression constante, glissez votre main vers le haut de la jambe.

- Caressez-lui l'abdomen très légèrement en faisant des mouvements circulaires.
- Relâchez ensuite les tensions du bas du corps en le plaçant sur le côté. Comme pour le massage de la femme enceinte (voir la page 100), partez du sacrum, au bas du dos, et contournez la hanche.
- Avec la paume de la main posée sur la partie lombaire du dos, longez la colonne vertébrale en remontant vers la nuque. Empoignez l'épaule et descendez le long du bras jusqu'à la main. Répétez cette manœuvre avec l'autre bras.
- Avec les pouces, massez le creux de la main et étirez les doigts, comme vous l'avez fait avec les orteils.
- De nouveau sur le dos, placez les paumes de vos mains sur les pectoraux et balayez vers le côté pour dégager sa poitrine.
- Terminez l'exercice par le massage du visage. Tracez doucement des lignes sur le front, sous les yeux, au-dessus des lèvres et sur le menton. Observez comment ce massage vous calme et rassure votre bébé...

J. B. et M. B.

Le soutien et les caresses pour les grands-parents

Vos propres parents peuvent vous procurer un soutien inestimable pendant la période postnatale, si vous le souhaitez, de part et d'autre. Il n'est toutefois pas recommandé qu'ils imposent leur façon de faire. Leur mentalité en matière de soins aux enfants est parfois différente de la vôtre, et les méthodes peuvent avoir changé au cours des dernières décennies. Pour mieux vous accompagner, ils peuvent se documenter sur la nouvelle réalité parentale en lisant le présent ouvrage ou en assistant à des cours prénataux.

Les grands-parents peuvent vous soutenir en cuisinant des plats et en effectuant quelques tâches ménagères. Ils peuvent aussi garder vos autres enfants et veiller sur votre nouveau-né pendant que vous dormez ou que vous sortez en amoureux. Pendant la grossesse, vous pouvez discuter de la manière dont les grands-parents peuvent s'impliquer au sein de votre famille. Entamez la communication avec eux pour échanger sur vos valeurs et vos besoins.

À savoir : Si les membres de votre entourage ne sont pas disponibles pour vous soutenir durant la période postnatale, vous pouvez avoir recours aux services d'une accompagnante spécialisée dans l'aide à domicile. Celle-ci peut vous aider en matière d'allaitement ou pour les soins à donner à votre bébé, répondre à vos questions et vous soutenir dans certaines tâches ménagères légères (ex. : faire quelques courses ou préparer des repas).

Info nutrition

Menu énergétique pour les nouveaux parents

Au cours des premières semaines suivant la naissance, il reste peu de temps pour cuisiner. Or, il est important pour la mère, surtout si elle allaite son enfant, de bien se nourrir pour ne pas manquer d'énergie. Voici un menu rapide à préparer pour les jours où vous serez fatigués. Il peut aussi inspirer des personnes de votre entourage qui désirent cuisiner pour vous.

Plat principal

Casserole de pâtes au thon et aux légumes : pâtes de blé entier, légumes surgelés, conserve de tomates en dés, conserve de thon, câpres, olives et huile d'olive (Pour alléger le lavage de vaisselle, cuisinez toute la recette dans la même casserole.)

Dessert

Fromage blanc frais (de style quark) mélangé à du sirop d'érable et garni de fraises et de biscuits graham émiettés

Quelques aliments « qui dépannent » à garder sous la main, pour cuisiner rapidement des plats nourrissants :

- Poissons en conserve (thon, saumon, sardines)
- Crevettes surgelées
- Légumineuses en conserve
- Œufs
- Noix et fruits séchés
- Beurre d'arachide
- Pâtes, riz, pain et autres féculents à grains entiers
- Gruau et céréales à déjeuner à grains entiers
- Fromage, lait et yogourt
- Pommes de terre, oignons et ail
- Tomates en conserve
- Fruits et légumes surgelés
- Bouillons à faible teneur en sodium
- Sauces, épices et fines herbes pour aromatiser

Cette liste d'aliments peut être modifiée au besoin si la mère ou le bébé souffrent d'allergies.

Comment réagir si l'aîné éprouve de la jalousie envers le bébé ?

Un enfant peut, à tout âge, éprouver de la jalousie lors de la naissance d'un nouveau-né dans la famille. Il est important de le préparer avant la naissance. Néanmoins, même s'il est bien sensibilisé à la question, il est probable qu'il change son comportement pendant quelques semaines. Il a besoin de temps pour s'habituer à son nouveau rôle et s'assurer qu'il est toujours aimé de vous. Votre aîné peut même retourner à des étapes de développement qu'il avait déjà passées (ex. : mouiller à nouveau son lit, ou demander le sein ou le biberon).

Si c'est le cas, ne le punissez pas. Tentez plutôt de le valoriser dans son nouveau rôle de grand frère ou de grande sœur. S'il le désire, impliquez-le dans de petites tâches, comme aller chercher une couche ou une couverture. Vous pouvez aussi profiter de la période de l'allaitement pour lui raconter une histoire. Prenez le temps de jouer avec lui, de lui rappeler que vous l'aimez autant qu'avant.

Une fois la routine installée, l'un des deux parents peut aussi s'adonner à une activité seul avec lui (ex. : une sortie au parc ou au cinéma). L'aîné réalisera ainsi qu'il n'a pas perdu «sa» place au sein de la famille, et il n'en aimera que davantage son petit frère ou sa petite sœur !

LE RETOUR À LA MAISON ET LE *BABY BLUES*

Le soutien donné à la mère, lors du retour à la maison, est d'autant plus important qu'elle risque de vivre une déprime passagère appelée *baby blues* (voir la capsule du Dr Julie Choquet, à la page 178), ainsi qu'une première montée laiteuse (pour les femmes qui allaitent, voir la page 159), période qui peut s'avérer difficile pour certaines mères à cause d'un engorgement potentiel (voir la page 179). Pour mieux vivre les journées difficiles, la mère peut mettre en pratique les conseils suivants :

- Exprimer ce qu'elle ressent à une personne empathique qui ne la jugera pas (ex. : une amie ou une accompagnante) ;
- Prendre soin d'elle (ex. : dormir suffisamment et bien s'alimenter) ;
- Demander le soutien de son conjoint et des membres de son entourage pour l'appuyer dans son nouveau rôle ;
- Pleurer si elle en ressent le besoin, sans trop chercher à comprendre ;
- Ne pas se culpabiliser et s'encourager en se disant que le temps arrange bien souvent les choses.

PEUT-ON PRÉVENIR LA DÉPRESSION POST-PARTUM ?

Même si elle ne peut pas contrôler les facteurs génétiques en cause dans la dépression post-partum, la mère peut tenter de prévenir le surmenage dès la grossesse (voir la page 109). Si elle est suffisamment soutenue par les personnes de son entourage, la nouvelle mère sera ensuite moins susceptible de se fatiguer, de se surmener et d'en arriver à vivre une dépression post-partum. Dans cet esprit, il est souhaitable que les personnes qui désirent visiter les nouveaux parents lors des premières semaines, apportent un soutien quelconque à la mère (ex. : lui offrir des repas préparés plutôt que de se faire inviter pour un repas). Ils peuvent même proposer d'assurer un service de soutien dans le cadre de la planification d'un calendrier postnatal (voir l'activité à la

Baby blues ou dépression post-partum ?

Au cours des trois premiers jours suivant l'accouchement, de 40 à 80 % des mères vivent un *baby blues*, une petite déprime passagère. Elles ont alors des sautes d'humeur (passant de la joie intense à la tristesse), sont irritables, anxieuses, ont de la difficulté à se concentrer, dorment mal et pleurent. Ces symptômes se résorbent généralement dans un délai de deux semaines. La plupart des médecins relient le *baby blues* aux changements hormonaux majeurs qui suivent l'arrivée du bébé, mais les études ne sont pas concluantes. Les femmes ayant des antécédents personnels ou familiaux de dépression et celles qui ont eu des symptômes dépressifs durant la grossesse sont entre autres plus à risque. Par ailleurs, entre 10 et 20 % des femmes souffrent d'une dépression post-partum, qui est une maladie mentale. Les symptômes suivants persistent alors pendant plus de deux semaines : tristesse, anxiété, perte d'intérêt dans les activités ou d'appétit, insomnie, baisses de concentration, culpabilité, fatigue, agitation, et, parfois, idées suicidaires.

Les facteurs prédisposant à la dépression post-partum sont semblables à ceux du *baby blues*, en ce qui a trait aux antécédents personnels et familiaux. Ils incluent aussi la discorde au sein du couple, le manque de soutien et la présence d'événements stressants dans la vie de la mère. Si cette dernière vit une dépression post-partum, il est essentiel que les personnes de son entourage la soutiennent et la comprennent. Il est important qu'elle consulte un médecin et, au besoin, qu'elle entreprenne une psychothérapie ou prenne des médicaments si son médecin lui en prescrit.

J. C.

page 189). De plus, une fois la routine bien établie avec son enfant, il est recommandé que la mère sorte à l'extérieur à la lumière du jour avec lui (s'il n'y a pas de canicule ou de froid intense) afin de garder le moral et de s'oxygéner, elle et son bébé. Si tel est son désir, pour se remettre en forme et mieux dormir, il est conseillé qu'elle participe à des activités sportives conçues spécialement pour elle et son bébé (ex. : yoga ou danse avec bébé, jogging avec bébé dans la poussette, ou qu'elle reprenne le sport de son choix, environ six à huit semaines après l'accouchement, en suivant les recommandations de Josée Lavigueur (voir la page 179). Elle peut aussi fréquenter des cafés, des restaurants ou des cinémas « maman-bébé » pour se changer les idées. Renseignez-vous sur Internet ou auprès de votre CSSS : il existe une panoplie d'activités sociales pour les mères et leur poupon. De

plus, à l'occasion, la mère peut s'adonner à des sorties personnelles (ex. : une visite chez le coiffeur ou l'esthéticienne). Surtout, il est recommandé qu'elle arrive à lâcher prise sur les détails sans importance de la vie quotidienne. Sachez que la *wonder woman*, qui recherche constamment la perfection, s'oublie souvent elle-même et peut s'épuiser. Il est mieux qu'elle connaisse ses limites et sache déléguer des tâches.

À savoir : Lors de la grossesse, la beauté de la femme enceinte est généralement célébrée, mais après l'accouchement, son bébé lui vole souvent la vedette. Tout en accordant de l'attention au nouveau-né, il est suggéré que les membres de l'entourage de la mère la félicitent par de petits gestes, comme lui offrir des fleurs ou une séance chez un massothérapeute.

Mythe

?!

Seules les mères vivent une dépression post-partum.

Réalité encore peu connue, plus de 10 % des nouveaux pères souffriraient de dépression post-partum[4]. À ce jour, les causes de cette déprime n'ont pas été clairement démontrées. Toutefois, il semblerait que le nouveau père puisse être fatigué, bouleversé dans ses habitudes (ex. : sentiment d'avoir moins de liberté et davantage de responsabilités), stressé au niveau financier et maladroit dans ses nouvelles tâches. Il arrive qu'il ne sache pas de quelle manière aider une partenaire, qui est elle-même dépressive. Il est possible qu'il exprime sa déprime de la même manière que la mère. Il peut aussi ressentir davantage de maux de tête, être plus impatient et reclus.

Pour prévenir cette situation, il est recommandé que le père s'implique au sein de sa famille dès les premiers jours, et qu'il développe un sentiment d'attachement envers son enfant. Sa partenaire peut valoriser son rôle et mettre en évidence ses qualités et ses forces. De plus, le père peut faire des sorties pour se changer les idées (ex. : jouer un match de hockey ou aller à la salle de sport ou au cinéma), une fois la routine avec son enfant établie.

Si les symptômes de dépression persistent pendant plus de deux semaines, il est recommandé qu'il consulte un médecin.

LES DIFFICULTÉS POTENTIELLES DE L'ALLAITEMENT[1]

L'engorgement

En plus du *baby blues*, le retour à la maison correspond habituellement avec la première montée laiteuse (environ deux à cinq jours après la naissance si la mère allaite). Le colostrum se transforme alors en lait et la mère peut vivre un premier engorgement. Ses seins sont lourds et tendus, voire douloureux. Si la mère trouve cette période difficile, elle doit se rappeler que l'engorgement est une preuve que son allaitement est bien démarré. Par après, un tel problème peut survenir entre autres quand le bébé boit moins que d'habitude ou lors d'un sevrage brusque. Il est important de soulager un engorgement pour éviter que l'allaitement se transforme en une expérience désagréable. Pour y remédier, la mère peut prendre les mesures suivantes[2] :

Mise en forme

Corriger une diastase des grands droits

La distension importante du ventre de la femme enceinte amène un étirement des muscles abdominaux, et parfois une diastase des grands droits (séparation entre ses deux côtés). Environ 30 % des mères ont une diastase après l'accouchement. Vers six semaines suivant la naissance de leur enfant, avant de recommencer des activités physiques et des redressements assis, les mères peuvent faire l'exercice suivant pour prévenir les maux de dos et le «petit ventre». Il est tiré du livre *Sport et nutrition pendant et après la grossesse*, d'Élise Hofer et Mélanie Olivier, publié aux Éditions de l'Homme[3].

Marche à suivre

- En position couchée, les genoux fléchis, enroulez un foulard autour de votre abdomen et croisez-en les deux extrémités, comme pour faire un nœud.
- Serrez le foulard en tirant ses extrémités vers le haut et vers les côtés à un angle de 45 degrés.
- Touchez le sternum du menton, en soulevant seulement la tête.

Pour de plus amples renseignements à ce sujet, parlez à un physiothérapeute spécialisé en rééducation pelvienne.   **J. L.**

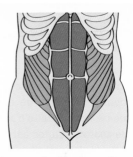

Absence de diastase (aucun écart entre les grands droits).

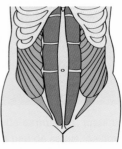

L'écart entre les grands droits correspond à la largeur d'un à deux doigts environ.

- Mettre son bébé au sein pour soulager l'engorgement. Si celui-ci empêche son bébé de bien prendre l'aréole du sein, la mère peut exprimer un peu de lait, avant qu'il ne prenne le sein ;
- Appliquer de la glace ou des feuilles de chou (légèrement blanchies, puis refroidies) sur le sein, entre les tétées, pour diminuer l'enflure et la douleur de l'engorgement ;
- Exprimer un peu de lait sous un jet d'eau chaude, sous la douche, après la tétée, si le sein est encore engorgé. Cela soulagera l'inconfort de l'engorgement ;
- Au besoin, prendre de l'acétaminophène ou de l'ibuprofène. Ils diminuent la douleur et sont sans danger pour le bébé.

Les mamelons douloureux

La cause la plus fréquente de la douleur aux seins est une prise du sein incorrecte. Des crevasses et des gerçures sur le mamelon, qui peut saigner, risquent d'apparaître. Si elles ne sont pas soignées, elles peuvent amener la mère à cesser l'allaitement. Pour résoudre le problème et transformer l'allaitement en une expérience agréable :

- Améliorer la prise du sein pour qu'elle ressemble à celle de l'encadré de la page 158 ;
- Commencer la tétée par le sein le moins sensible ;
- Varier les positions d'allaitement (voir la page 157) ;
- Mettre, sur le mamelon à la fin de la tétée, quelques gouttes de lait maternel ou des onguents et crèmes conçus pour l'allaitement en vente libre ;
- Entre les tétées, tenter d'avoir les seins nus, sans soutien-gorge, dans un contexte d'intimité, le plus souvent possible ;
- Au besoin, soulager la douleur avec de l'acétaminophène. Si la douleur empêche la mère de mettre son bébé au sein, il est recommandé qu'elle exprime son lait pour éviter un engorgement et maintenir sa production ;
- Au besoin, visiter une clinique d'allaitement ou faire appel aux services d'une accompagnante ou d'une professionnelle en lactation ;

- Si les crevasses ne guérissent pas ou augmentent, consulter un médecin. La mère peut avoir besoin d'un onguent antibiotique.

La mastite

Une mastite est une infection au sein causée par une bactérie. Ses facteurs de risque sont un engorgement, des crevasses sur l'aréole et une fatigue prolongée. La mère ressent des courbatures, des frissons et de la fatigue, elle fait de la fièvre et éprouve de la douleur au sein. Elle peut remarquer une bosse ou une région du sein rouge, dure, chaude et enflée. Toutefois, le lait reste bon. Si elle n'est pas soignée, une mastite peut devenir une cause de sevrage. Il est donc indiqué de suivre les conseils ci-dessous pour résoudre le problème et transformer l'allaitement en une expérience agréable.

- Commencer l'allaitement par le sein infecté et varier les positions afin que le lait coule facilement. Au besoin, exprimer un peu de lait pour soulager un engorgement ;
- S'assurer que le sein douloureux est vidé autant que possible ;
- Si la tétée est trop inconfortable, donner d'abord l'autre sein à son bébé et changer de côté dès que le sein douloureux coule plus librement ;
- Appliquer de la glace entre les tétées pour diminuer l'enflure ;
- Prendre de l'acétaminophène ou de l'ibuprofène pour calmer la douleur et la fièvre ;
- Diminuer ses activités. Le repos total aide à guérir la mastite ;
- Visiter une clinique d'allaitement ou faire appel aux services d'une accompagnante ou d'une professionnelle en lactation ;
- Si les crevasses et rougeurs au sein grossissent rapidement, que la situation s'aggrave subitement ou que les symptômes n'ont pas commencé à se résorber dans un délai de 12 heures, consulter un médecin. La mère peut avoir besoin d'antibiotiques.

Allaiter en lâchant prise

À plus d'une reprise, Sylvie Thibault a aidé et conseillé les nouvelles mamans dans leur apprentissage de l'allaitement. La plupart d'entre elles lui ont posé plusieurs questions pendant la grossesse et ont communiqué avec elle une fois l'enfant né pour obtenir du soutien et résoudre certains problèmes d'allaitement. L'accompagnante se souvient toutefois d'une mère, d'origine africaine, qui vivait l'allaitement dans un lâcher-prise quotidien. Elle raconte : « Lors d'une rencontre postnatale à son domicile, cette nouvelle maman m'a accueillie calmement avec son bébé, le sourire aux lèvres. Au moment où je lui ai demandé si elle avait des questions ou des problèmes avec son allaitement, elle m'a répondu non. Elle ne m'a pas caché la surprise qu'avait soulevée ma question. Selon elle, allaiter allait de soi et elle se demandait pourquoi les femmes d'ici se questionnaient autant. »

S. T.

Le bébé peut-il être allergique au lait de vache ou intolérant au lactose ?

Jusqu'à 5 % des bébés sont allergiques aux protéines de lait de vache et peuvent présenter certains des symptômes suivants : pleurs, maux de ventre, diarrhée, constipation, vomissements en jet, sang dans les selles, gain de poids insuffisant, éruptions cutanées et problèmes respiratoires. La majorité des préparations commerciales pour nourrissons en contiennent[5].

Ces protéines peuvent aussi se retrouver en petite quantité dans le lait maternel si la mère mange des produits laitiers ou de la viande de bœuf et ses dérivés. Si votre bébé allaité est allergique aux protéines de lait de vache, vous pouvez demander conseil à une nutritionniste afin de modifier votre alimentation en conséquence et de vous assurer que votre menu est équilibré. Si votre bébé est nourri avec une préparation commerciale pour nourrissons, votre médecin vous prescrira un lait spécial hypoallergénique. Sachez que votre bébé peut aussi être allergique aux préparations commerciales au soya pour nourrissons.

Par ailleurs, certains bébés ne tolèrent pas le lactose présent dans le lait maternel et les préparations commerciales pour nourrissons, mais n'y sont pas allergiques. Contrairement à une allergie, une intolérance ne cause pas une réaction du système immunitaire. Chez les enfants, l'intolérance au lactose est rare et est, la plupart du temps, de courte durée. Elle se développe parfois après une gastro-entérite. Les nourrissons intolérants au lactose ont mal au ventre ; ils ont des gaz et des selles liquides[6]. Si votre enfant semble en souffrir, consultez un médecin.

COMPRENDRE LE SOMMEIL DE SON PETIT POUR RECHARGER SES BATTERIES

Afin de mettre toutes les chances de votre côté pour prévenir le surmenage, il est recommandé de bien comprendre le sommeil de votre nourrisson, qui ne fait aucune différence entre le jour et la nuit. Son horloge biologique, qui règle ses périodes d'éveil et de sommeil, n'est pas encore ajustée. En général, votre bébé ne se réveille que pour satisfaire ses besoins, comme celui de se nourrir. Toutefois, ses réveils sont fréquents puisque ses périodes de sommeil sont d'une durée de 2 à 3 heures, et que, si vous l'allaitez, il doit prendre le sein régulièrement pour stimuler la production de lait (voir la page 160). Il a aussi tendance à dormir davantage le jour que la nuit. Vers 8 à 10 semaines, il commence à distinguer le jour de la nuit. Il espace alors ses boires de nuit et s'alimente davantage le jour[7]. À partir de cette période, vous pouvez lui apprendre graduellement la différence entre le jour et la nuit. Quand vous le nourrissez pendant la nuit, privilégiez le calme, la lumière tamisée et ne lui parlez pas trop. Il comprendra graduellement que cette période est destinée au sommeil. Au contraire, pendant les boires de jour, ouvrez les rideaux des fenêtres, parlez-lui, mettez de la musique, ne coupez pas la sonnerie du téléphone ; restez dans la réalité du jour.

Lorsque bébé « fait ses nuits »

« Faire ses nuits » pour un bébé ne signifie pas dormir 8 heures et plus. Environ 70 % des nouveau-nés « font des nuits » de 5 heures ou plus à 3 mois, 85 % les font à 6 mois, et 90 % à 10 mois[9]. Quelquefois, les parents doivent s'armer de patience, car leur bébé peut mettre du temps avant de dormir plusieurs heures d'affilée la nuit. Toutefois, aux environs de 4 mois, le nourrisson a généralement un horaire de vie plus prévisible. Grâce à des soins attentionnés depuis sa naissance, il s'apaise de plus en plus par lui-même et apprend à s'endormir seul[10]. Pour l'aider, il est suggéré d'établir une routine de sommeil avec lui. Par exemple, déposez-le dans sa couchette avant qu'il soit endormi, après l'avoir nourri, lui avoir donné un bain, lui avoir chanté une berceuse ou l'avoir massé. Vous pouvez ainsi l'habituer à s'endormir seul, sans le sein, ni le biberon, ni vos bras. S'il pleure au moment où vous le déposez dans sa couchette, il est conseillé de le caresser et de lui parler sans le prendre dans vos bras. Toutefois, chaque enfant a des besoins différents en matière de sommeil. Il est recommandé de s'y adapter en conséquence. Il n'y a pas une seule façon de faire en matière de sommeil. Chaque parent acquiert sa propre philosophie. Au besoin, parcourez les ouvrages spécialisés sur le sommeil et faites appel à une accompagnante. Vous pouvez aussi joindre la Ligne parents.

Question de parents

Un bébé peut-il dormir dans le lit de ses parents ?

La question fait l'objet d'un débat entre certains professionnels de la santé et de l'allaitement ainsi que des parents. Certains déconseillent le « cododo », alors que d'autres suggèrent plutôt des règles à suivre pour dormir avec le bébé et faciliter l'allaitement. On déconseille de faire dormir un bébé seul dans un lit d'adulte (surtout encombré de couvertures et d'oreillers), sur un matelas mou ou de dormir avec lui en cas de facultés affaiblies par la fatigue, l'alcool, les drogues ou les médicaments. Selon la Société canadienne de pédiatrie, le lieu de sommeil le plus sécuritaire pour le nourrisson est toutefois sa propre couchette, installée dans la chambre de ses parents durant les six premiers mois[8].

Mythe

?!

**Un bébé nourri aux céréales
fait ses nuits rapidement.**

Chaque nourrisson dort à son propre rythme, peu importent les habitudes que vous tentez de lui imposer. L'introduction d'aliments complémentaires ne prolongera pas ses nuits de sommeil.

En général, jusqu'à l'âge de 6 mois, le lait maternel ou les préparations commerciales pour nourrissons répondent aux besoins du bébé.

LES PLEURS : APPRENDRE À DÉCRYPTER LE LANGAGE DE VOTRE BÉBÉ

Lors des premières journées passées à la maison avec votre poupon, il se peut que vous soyez inquiets de le voir pleurer fréquemment. Rassurez-vous : il chigne souvent parce que ses larmes s'avèrent son seul moyen de communiquer ses malaises. Un bébé ne pleure jamais pour rien. Certains chignent plus que d'autres, tous les bébés sont différents. C'est en prenant du temps avec lui que vous apprendrez à savoir ce qui lui fait du bien et ce qu'il n'apprécie pas. Vous découvrirez aussi les messages qu'il tente de transmettre à travers ses différents pleurs. Certains voudront dire : « J'ai faim ! », d'autres « Je suis fatigué ! », « Ma couche est sale ! », « J'ai trop chaud ! », « J'ai besoin d'affection ! », « J'ai mal au ventre ! », etc.

Parfois, malgré toute votre attention, vous ne comprendrez pas la raison des pleurs de votre enfant. Il faut alors simplement l'apaiser en demeurant calme à ses côtés. De plus, pendant ses premiers mois de vie, un bébé n'a pas la notion du temps et ne supporte pas de ne pas se sentir bien. Il a besoin que vous vous occupiez de lui rapidement. Il est recommandé d'être compréhensifs et d'écouter l'expression de sa colère, de son chagrin ou de ses peurs[11].

Coliques ou pleurs intenses ?

Certains bébés ont des épisodes de pleurs intenses, appelés « coliques », et d'autres pas. Les médecins ne savent pas ce qui les cause. Ils semblent faire partie du processus d'adaptation du bébé à son nouvel environnement. L'allaitement les préviendrait également. Elles apparaissent généralement vers l'âge de 2 à 3 semaines

Question de parents

Comment prévenir le syndrome de mort subite du nourrisson ?

Le syndrome de mort subite du nourrisson (SMSN) chez un enfant de moins de 1 an, qui survient pendant le sommeil, est très rare. En 2007, seulement 113 décès sur 367 900 naissances y ont été attribués au Canada[12, 13]. À ce jour, les médecins n'en connaissent pas la cause. Toutefois, des études ont démontré que près d'un tiers des cas étaient attribuables au tabagisme[14]. Le risque d'être victime du SMSN est plus élevé chez les bébés dont la mère a fumé pendant la grossesse et qui sont exposés à la fumée secondaire[15, 16, 17]. En plus d'éliminer autant que possible la cigarette durant la grossesse et la période postnatale, pour prévenir le SMSN, on conseille[18] :

- de placer votre enfant sur le dos pour dormir. Changez quotidiennement la position de la tête

de votre bébé dans la couchette. Un jour, vous pouvez par exemple placer votre bébé la tête vers la gauche, à la tête de la couchette, et l'autre jour, la tête vers la droite, au pied de la couchette ;
- d'éviter les douillettes, car elles peuvent recouvrir totalement la tête de votre nourrisson, à la suite de ses mouvements ;
- d'éviter les oreillers et les bordures de protection rembourrées dans le lit. Votre bébé peut s'étouffer avec eux s'il se retourne sur le côté ou sur le ventre.

L'utilisation d'un moniteur de sons et de mouvements pour nourrissons ne remplace pas ces précautions et votre surveillance.

et diminuent vers le troisième ou le quatrième mois. Un nouveau-né qui souffre de coliques est en bonne santé mais pleure fort pendant environ 3 heures par jour, surtout en fin de journée ou en soirée. Son visage est rouge, ses poings sont fermés et ses cuisses sont repliées sur son ventre tendu. Il peut émettre des gaz et se montrer difficile à consoler. Entre les périodes de pleurs, il est de bonne humeur. Les pleurs intenses peuvent aussi être un signe d'allergie alimentaire. Au besoin, consultez votre médecin[19].

Voici quelques pistes pour apaiser les coliques de votre bébé :

- Assurez-vous qu'il n'a ni faim, ni froid, ni chaud. Qu'il n'a pas besoin de faire changer sa couche et qu'il ne fait pas de fièvre ;
- Calmez-le dans un environnement apaisant, en lui parlant doucement ;
- Offrez-lui le sein, placez-le contre votre ventre, en contact peau à peau, ou massez-le ;

- Placez-le à plat ventre sur votre avant-bras, son dos contre votre ventre, sa tête dans le creux de votre coude et votre main entre ses jambes. C'est la position « anticoliques ». Balancez-vous ensuite d'avant en arrière pour l'apaiser ;
- Administrez-lui un produit en vente libre contre les coliques ;
- Pour vous apaiser tous deux, bercez-le ou promenez-le dans sa poussette ou un sac ventral à l'extérieur. Faites-lui faire un tour de voiture pendant quelques minutes (si la température n'est ni trop chaude, ni trop froide) ;
- Si l'un de vous commence à être impatient à force de l'entendre pleurer, faites appel à l'autre ou à une personne de confiance pour continuer à le calmer. Vous pourrez sortir marcher à l'extérieur afin de vous tranquilliser. Si vous êtes seul, déposez votre bébé sur le dos dans un endroit sécuritaire (ex. : sa couchette), fermez la porte et éloignez-vous de la pièce quelques instants pour vous apaiser. Si vous êtes au bord d'une crise de

Question de parents

Doit-on consulter un médecin si notre nourrisson fait de la fièvre ?

Un nouveau-né fait de la fièvre si sa température rectale est de 38,1 °C (100,5 °F) ou plus.

Dans une telle situation, s'il a moins de 3 mois, rendez-vous immédiatement chez votre médecin ou à l'urgence d'un hôpital. La fièvre peut être le signe d'une infection grave chez les nourrissons[20]. Après 3 mois, ne soyez pas trop inquiets si votre enfant est légèrement fiévreux. Cet état n'indique pas nécessairement une grave maladie.

Pour savoir si une maladie est grave, il vaut habituellement mieux se fier à l'état général de l'enfant plutôt qu'à la fièvre. Pour vous rassurer, vous pouvez appeler Info-Santé, en composant le 811. Toutefois, vous devez consulter rapidement un médecin

ou amener votre enfant à l'urgence s'il fait de la fièvre et présente une ou plusieurs de ces caractéristiques :

- Il a moins de 3 mois ;
- Il fait de la fièvre depuis plus de 48 heures ;
- Il a des convulsions ;
- Il vomit beaucoup ;
- Il pleure sans arrêt et est inconsolable ;
- Il est difficile à réveiller ou est beaucoup plus endormi que d'habitude ;
- Il est pâle ou d'une couleur qui n'est pas naturelle ;
- Il réagit peu aux stimuli ;
- Il a de la difficulté à respirer ou il respire vite[21].

nerfs et avez envie de secouer votre bébé, joignez rapidement votre partenaire, une accompagnante, une amie, ou la Ligne parents.

ET LE COUPLE DANS TOUT ÇA ?

La naissance de votre enfant a peut-être fait de vous des complices encore plus amoureux qu'avant. Il est même probable que vous planiez sur un nuage de bonheur ! Mais à travers les pleurs et les réveils fréquents, vous avez probablement l'impression, d'autres fois, d'oublier votre vie intime et d'avoir les nerfs à fleur de peau. Au cœur d'une nouvelle vie de famille, votre couple a sûrement besoin, lui aussi, d'une période d'adaptation. Une communication efficace est une excellente façon d'y parvenir. Pour s'épanouir dans une relation paisible, il est recommandé d'échanger, au fur et à mesure, vos émotions et inquiétudes. Prévenez les conflits en lâchant prise sur des détails de la vie quotidienne sans importance (ex. : la façon différente de l'autre parent d'habiller l'enfant, ou de faire le ménage ou la vaisselle). Les façons de faire et d'être de votre partenaire ne sont pas nécessairement les vôtres. Il est important que vous vous entendiez au sujet de l'éducation de votre ou vos enfants. Valorisez les qualités de l'autre plutôt que de critiquer ses maladresses et de contrôler ses faits et gestes. De plus, lors d'une dispute, il est suggéré de se calmer et de se reposer. Ensuite, vous pourrez exprimer respectivement votre ressenti concernant la cause du conflit. Il ne sert à rien d'accuser l'autre en utilisant un langage au « tu » ; privilégiez plutôt le « je ». Par exemple, il est mieux de dire à l'autre : « Je me sens fatigué parce que je me sens seul » plutôt que : « Tu ne m'aides jamais ». En tentant de comprendre l'autre, vous mettez toutes les chances de votre côté pour prévenir une crise dans le couple. Pour développer de meilleurs outils de communication, si vous en ressentez le besoin, ayez recours à une ou un professionnel de la thérapie de couple (ex. : psychologue ou sexologue).

Faire renaître la flamme amoureuse

Pendant les premières semaines suivant la naissance, il peut arriver que vous ayez la libido à zéro. Donnez-vous le temps de vous reposer et de faire le plein d'énergie. Sachez aussi que l'hormone de la prolactine sécrétée pendant l'allaitement maternel peut diminuer le désir sexuel. Soyez donc compréhensifs l'un envers l'autre et accordez-vous le temps nécessaire pour vous sentir prêts à reprendre les relations sexuelles, surtout si la mère a connu des déchirures importantes pendant l'accouchement ou que vous avez de la difficulté à dormir. Pendant cette période, soutenez-vous mutuellement et priorisez le sommeil. Vous pouvez aussi vous caresser sensuellement, vous masser et explorer des jeux intimes autres que la pénétration.

Pour favoriser le retour à une vie de couple, à partir de 6 semaines suivant l'accouchement et une fois que la routine est bien établie, il est aussi recommandé de faire garder votre petit, à l'occasion. Vous pourrez en profiter pour vous adonner à une sortie en amoureux. Si vous n'avez pas trouvé une gardienne de confiance ou que votre budget est limité, permettez-vous de vous retrouver dans un climat d'intimité à la maison. Par exemple, une fois votre enfant couché, partagez un repas gastronomique (acheté chez le traiteur de votre quartier), écoutez un film ou prenez un bain ensemble. Planifiez un rendez-vous amoureux qui vous ressemble. En devenant parents, vous pouvez avoir tendance à oublier que vous êtes des amoureux au sein d'une famille. Au besoin, relisez l'information au sujet de la sexualité donnée à la page 21. Consacrez du temps à vos vies personnelle et amoureuse ; votre famille ne s'en portera que mieux !

LE LÂCHER-PRISE ET LE BONHEUR FAMILIAL

Maintenant que vous vous êtes préparés à amorcer l'aventure parentale – ou à enrichir celle que vous viviez déjà – et que vous avez relevé le défi de prendre soin d'un nouveau-né, arrêtez d'analyser votre existence dans les moindres détails. Lâchez prise, prenez le temps de respirer et de sourire à la vie. Savourez chaque minute du moment présent, chaque fou rire et chaque petit plaisir de la vie de famille. Par exemple, le matin, délectez-vous de pain frais et d'une confiture « maison ». Laissez-vous émouvoir par le premier sourire de votre petit ou par la comptine enfantine fredonnée par votre aîné ! Main dans la main avec votre enfant ou votre marmaille, vous parcourez, de jour en jour, un chemin qui vous permet de grandir en tant que personne. Devenir une mère ou un père est une expérience qui change votre parcours de vie et votre vision du monde.

Est-ce normal d'avoir l'impression d'être imparfaits ?

Les parents d'aujourd'hui sont généralement exigeants envers eux-mêmes. Ils sont très informés et se posent mille et une questions. Lors de votre retour à la maison, il est probable que vous doutiez de vos compétences ou ayez des appréhensions face à vos nouvelles responsabilités de parents. Ne perdez pas de vue que vous avez droit à l'erreur ou à l'imperfection. Le parent parfait n'existe pas.

Les exercices de Kegel : nécessaires après un accouchement

Après la grossesse et l'accouchement, il est probable que les muscles du plancher pelvien de la mère aient subi un étirement, voire un déchirement ou une épisiotomie (voir la page 67). Lorsque le périnée ne sera plus douloureux, il sera important que la mère renforce son plancher pelvien. Les exercices de Kegel préviennent ou corrigent les pertes urinaires et les descentes d'organes, tels que l'utérus. La mère pourra les exécuter 5 fois par jour, à partir de 2 à 3 semaines suivant l'accouchement.

Marche à suivre

- Contracter graduellement les muscles du périnée, comme pour retenir l'urine, en rentrant le nombril, le temps de compter jusqu'à 5.
- Relâcher les muscles graduellement, le temps de compter jusqu'à 5.
- Répéter cette séquence à 10 reprises en respirant profondément durant tout l'exercice.

J. L.

De la théorie à la pratique

Vous trouverez toutes les activités de ce livre sur le site mereetmonde.com

Pour terminer votre préparation prénatale, vous pouvez effectuer l'activité suivante.

ACTIVITÉ 1 : LE CALENDRIER POSTNATAL

Afin que les membres de votre entourage vous soutiennent mieux pendant les premières semaines de vie de votre bébé, vous pouvez planifier leur aide à l'avance en remplissant le calendrier proposé ci-dessous. Une journée dans la semaine, ils peuvent s'engager à vous apporter un support quelconque (ex. : ménage, cuisine, aide à l'allaitement, gardiennage d'enfants, courses au supermarché, etc.)

	Lundi	Mardi	Mercredi	Jeudi	Vendredi	Samedi	Dimanche
	Personne et aide proposée :	Personne et aide proposée :	Personne et aide proposée :	Personne et aide proposée :	Personne et aide proposée :	Personne et aide proposée :	Personne et aide proposée :
Semaine 1							
Semaine 2							
Semaine 3							

Semaine 4	
Semaine 5	
Semaine 6	
Semaine 7	
Semaine 8	

Ce tableau peut aussi être rempli pendant trois mois (au besoin, faites-en des photocopies). Laissez également des cases vides afin de vous retrouver seuls avec votre bébé. Vous pourrez ainsi développer vos compétences parentales et passer du temps de qualité avec lui.

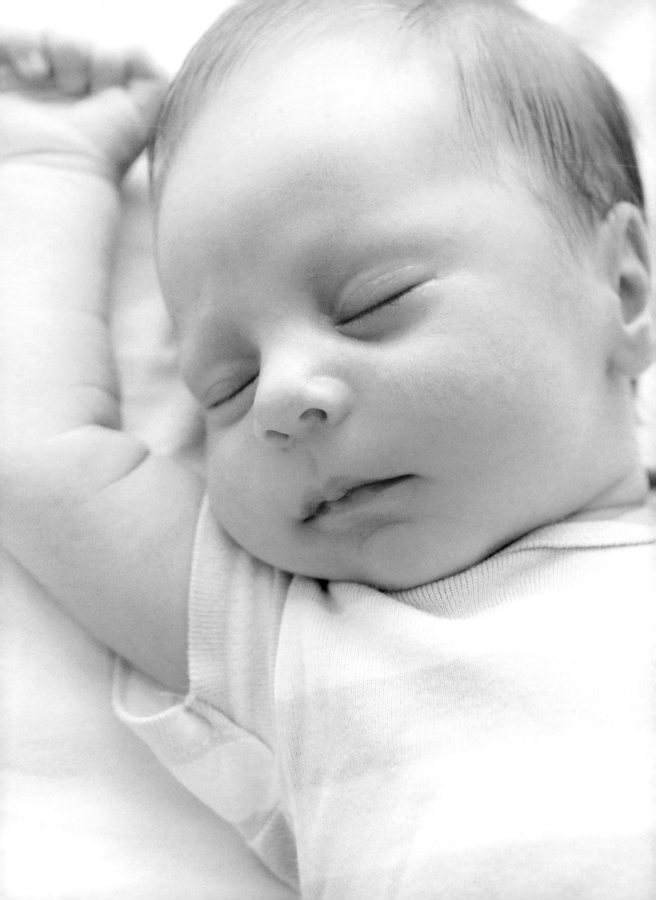

Annexe

LES TROIS TRIMESTRES DE LA GROSSESSE

Le premier trimestre de la grossesse (de la 1re à la 13e semaine)

Pendant le premier trimestre, le corps de la femme connaît une petite révolution hormonale et physiologique (voir la page 16) pour permettre le développement de l'embryon, puis du fœtus. À la 13e semaine, le fœtus ressemble déjà à un être humain miniature. Il mesure près de 11 cm et pèse un peu plus de 50 grammes. Sa tête fait 3,5 cm de diamètre. Il commence à interagir avec son environnement : le sens du toucher s'éveille, il devient sensible aux attentions. Les caresses de ses parents à travers le ventre maternel peuvent déjà le réconforter[1].

Côté pratique : C'est au cours du premier trimestre que vous choisirez et rencontrerez pour la première fois le professionnel de la santé qui suivra la grossesse (voir la page 46), que la mère surveillera de plus près son alimentation (voir la page 25), soulagera peut-être des maux de grossesse (voir la page 36) ou passera les premiers tests de dépistage de risques d'anomalies chromosomiques comme la trisomie 21 (voir la page 18), si elle le désire.

Le deuxième trimestre de la grossesse (de la 13e à la 26e semaine)

Au fil de ce trimestre, le bébé continue à se développer de manière phénoménale. Vers la 16e semaine de grossesse, il est généralement possible de déterminer son sexe. Vers la 24e semaine de grossesse, il mesure près de 30 cm et pèse 800 grammes. Bien qu'il soit encore mince, son corps se forme et est de mieux en mieux proportionné chaque jour. Ses muscles, os, organes et tissus poursuivent leur développement. Son système respiratoire nécessite encore une certaine maturation. Son ouïe devient de plus en plus sensible. Il perçoit maintenant certains sons : la respiration, les battements de cœur, la voix de sa mère et d'autres sons extérieurs. S'il naissait à 24 semaines, il pourrait survivre. Toutefois, il serait suivi de près par le corps médical.

Côté pratique : C'est au cours du deuxième trimestre que vous commencerez vos cours prénataux (s'il y a lieu) (voir la page 10), amorcerez la rédaction de votre plan de naissance (s'il y a lieu) (voir la page 52), que vous préparerez la chambre de votre bébé de plus près et que vous passerez, au besoin, l'amniocentèse, un test diagnostic pour des anomalies chromosomiques comme la trisomie 21 (voir la page 18).

Le troisième trimestre de la grossesse (de la 26e à la 40e semaine)

Lors du dernier trimestre, l'enfant grossit de jour en jour, accumulant de la graisse et prenant des forces en vue de sa naissance. C'est notamment son système respiratoire qui se développe pendant cette période. Vers la 37e semaine de grossesse, le bébé mesure environ 48 cm et pèse 3 kg. Il se trouve de plus en plus à l'étroit dans l'utérus. Il donne régulièrement de petits coups de tête ou de pied à sa mère. Il s'entraîne à respirer. Il perçoit maintenant les sons familiers. S'il devait naître à 37 semaines, il ne serait plus considéré comme prématuré.

Côté pratique : C'est au cours du troisième trimestre que la mère amorcera son congé parental (s'il y a lieu), que vous boucaulerez votre valise d'hôpital (voir la page 110), que vous planifierez l'aide de votre entourage en vue de la naissance de votre enfant (voir la page 126) et que vous visiterez plus assidûment le professionnel de la santé qui suit votre grossesse (voir la page 112). Profitez des dernières semaines de la grossesse pour vous dorloter, tous les deux.

Notes

INTRODUCTION

1. *Partir du bon pied, guide de grossesse et d'accouchement,* troisième édition, Société des obstétriciens et gynécologues du Canada (SOGC), 2005, p. 21.

COURS 1

1. Adapté de *Ma grossesse, les hormones et leurs effets,* www.babyfrance.com
2. *Partir du bon pied, guide de grossesse et d'accouchement,* 3e édition, Société des obstétriciens et gynécologues du Canada (SOGC), 2005, p. 38.
3. Descheneaux, N. *8 questions sur les fausses couches,* www.mamanpourlavie.com, 21 novembre 2012.
4. *Trisomie 21,* www.msss.gouv.qc.ca
5. *Calendrier de grossesse, la 23e semaine de grossesse,* www.enfant.com
6. Richou, S. *Les soins anti-vergeture,* www.doctissimo.fr, mis à jour le 15 novembre 2011.
7. *Pour une maternité sans danger,* www.csst.qc.ca
8. Olivier, M. *Voyages : pourquoi vous en priver pendant la grossesse ?,* www.doctissimo.com, mis à jour le 7 juillet 2011.
9. Dallaire, Y. *Qui sont ces couples heureux ?,* Éditions Option Santé, 2006, p. 138.
10. *Guide alimentaire canadien : grossesse et allaitement,* Santé Canada, www.hc-sc.gc.ca
11. Roy, I. *Dix mythes sur la grossesse et l'accouchement,* www.msn.ca, mis à jour le 8 mars 2013.
12. *Guide alimentaire canadien : grossesse et allaitement,* Santé Canada, www.hc-sc.gc.ca
13. *Ibid.*
14. *Ibid.*
15. *Ibid.*
16. Côté, S. et R. Boukhssim. *Les aliments biologiques, pour la santé et l'environnement ?,* www.coupdepouce.com
17. *Alcool et santé, La grossesse et l'alcool en questions,* Éduc-Alcool, 2008.
18. *Active pour la vie, activité physique pendant et après la grossesse,* Kino-Québec.
19. *Partir du bon pied, guide de grossesse et d'accouchement,* 3e édition, SOGC, 2005, p. 44.

COURS 2

1. *Suivi de grossesse : quel professionnel choisir ?,* Association pour la santé publique du Québec (ASPQ), partenaire de www.protégez-vous.ca ; 26 octobre 2012.
2. *Grossesse et accouchement, droits des femmes,* ASPQ, décembre 2011.

3. Il peut aussi consulter le chapitre 3 et l'ouvrage pratique *Accoucher sans stress avec la méthode Bonapace,* publié aux Éditions de l'Homme.
4. Klaus, M. H., J. H. Kennell et P. H. Klaus. *The Doula Book : How A Trained Labor Companion Can Help You Have a Shorter, Easier and Healthier Birth,* Perseus Press, 2002, chapitre V.
5. *Grossesse et accouchement, droits des femmes,* ASPQ, décembre 2011.
6. *Ibid.*
7. *Partir du bon pied, guide de grossesse et d'accouchement,* 3e édition, SOGC, 2005, p. 101.
8. *Fetal Health Surveillance : Antepartum and Intrapartum,* SOGC, n° 9, vol. 29, septembre 2007, p. S39.
9. *Partir du bon pied, guide de grossesse et d'accouchement,* 3e édition, SOGC, 2005, p. 100.
10. *Les soins liés à un accouchement normal : guide pratique,* Rapport d'un groupe de travail technique, WHO/FRH/MSM/96.24.
11. *Plan de naissance,* www.sogc.org
12. *Les soins liés à un accouchement normal : guide pratique,* Rapport d'un groupe de travail technique, WHO/FRH/MSM/96.24.
13. *Plan de naissance,* www.sogc.org
14. *Les soins liés à un accouchement normal : guide pratique,* Rapport d'un groupe de travail technique, WHO/FRH/MSM/96.24.
15. *Le déclenchement du travail,* Directive clinique de la SOGC, n° 296, septembre 2013.
16. *Plan de naissance,* www.sogc.org
17. *Ibid.*
18. *Ibid.*
19. *Les soins liés à un accouchement normal : guide pratique,* Rapport d'un groupe de travail technique, WHO/FRH/MSM/96.24.
20. *Le déclenchement du travail,* Directive clinique de la SOGC, n° 296, septembre 2013.
21. *Plan de naissance,* www.sogc.org
22. *Ibid.*
23. *Ibid.*
24. Brabant, I. *Une naissance heureuse,* Éditions Saint-Martin, 2008, p. 309.
25. *Partir du bon pied, guide de grossesse et d'accouchement,* 3e édition, SOGC, 2005, p. 111.
26. Brabant, I. *Une naissance heureuse,* Éditions Saint-Martin, 2008, p. 309.

27. *Ibid.*

28. *Les soins liés à un accouchement normal : guide pratique*, Rapport d'un groupe de travail technique, WHO/FRH/MSM/96.24.

29. *Partir du bon pied, guide de grossesse et d'accouchement*, 3e édition, SOGC, 2005, p. 110.

30. *Op. cit.*, p. 106 à 109.

31. Buxton E. J., C. W. E. Redman et M. Obhrai. « Delayed pushing with lumbar epidural in labour - does it increase the incidence of spontaneous delivery ? », *American Journal of Obstetrics and Gynecology*, n° 8, 1988, p. 258-261.

32. *Les soins liés à un accouchement normal : guide pratique*, Rapport d'un groupe de travail technique, WHO/FRH/MSM/96.24.

33. *Partir du bon pied, guide de grossesse et d'accouchement*, 3e édition, SOGC, 2005, p. 109 à 113.

34. Pericone, M.-A. *Péridurale, mode d'emploi*, www.enfant.com

35. Anim-Somuah M., R. M. D. Smyth et L. Jones. « Epidural versus non-epidural or no analgesia in labour (Review) », *The Cochrane Library*, n° 12, 2011.

36. *Ibid.*

37. *Ibid.*

38. Brabant, I. *Une naissance heureuse*, Éditions Saint-Martin, 2008, p. 309.

39. Anim-Somuah, M., R. M. D. Smyth et L. Jones. « Epidural versus non-epidural or no analgesia in labour (Review) », *The Cochrane Library*, n° 12, 2011.

40. *Les soins liés à un accouchement normal : guide pratique*, Rapport d'un groupe de travail technique, WHO/FRH/MSM/96.24.

41. *Accouchement normal*, www.sogc.org

42. Brabant, I. *Une naissance heureuse*, Éditions Saint-Martin, 2008, p. 305.

43. *Les soins liés à un accouchement normal : guide pratique*, Rapport d'un groupe de travail technique, WHO/FRH/MSM/96.24.

44. *Accouchement normal*, www.sogc.org

45. *Partir du bon pied, guide de grossesse et d'accouchement*, 3e édition, SOGC, 2005, p. 114.

46. *Qu'est-ce qu'une épisiotomie ?*, www.doctissimo.com, 17 mars 2011.

47. *Ibid.*

48. *Ibid.*

49. *Les soins liés à un accouchement normal : guide pratique*, Rapport d'un groupe de travail technique, WHO/FRH/MSM/96.24.

50. *Plan de naissance*, www.sogc.org

51. Lacoursière, A. « Où accoucher ? », *La Presse*, 6 novembre 2010.

52. *Accouchement, la césarienne*, www.naitreetgrandir.com

53. Brabant, I. *Une naissance heureuse*, Éditions Saint-Martin, 2008, p. 317.

54. *Accouchement, la césarienne*, www.naitreetgrandir.com

55. *Ibid.*

56. *Directive clinique sur l'accouchement vaginal chez les patientes ayant déjà subi une césarienne*, SOGC, n° 147, juillet 2004.

57. *Accouchement du siège*, www.sogc.org

58. Marshall, H. K., J. H. Kennell et P. H. Klaus. *The Doula Book : How A Trained Labor Companion Can Help You Have a Shorter, Easier, and Healthier Birth*. Perseus Press, 2002, chapitre V.

59. *Lignes directrices pour la surveillance de la disponibilité et de l'utilisation des services obstétricaux*, UNICEF, WHO, UNFPA, août 1997.

60. *Accouchement normal*, www.sogc.org

61. *Accouchement vaginal chez une patiente ayant déjà subi une césarienne*, www.sogc.org

62. Lacoursière, A. « Où accoucher ? », *La Presse*, 6 novembre 2010.

63. *Césariennes, panorama de la santé 2011, les indicateurs de l'OCDC*, www.oecd-ilibrary.org

64. *Accoucher aux Pays-Bas*, www.denhaag.nl, 27 décembre 2010.

65. *Césariennes, panorama de la santé 2011, les indicateurs de l'OCDC*, www.oecd-ilibrary.org

66. Abalos E. *Moment du clampage du cordon ombilical chez le nouveau-né à terme : effet sur les résultats maternels et néonatals*, Commentaire de la Bibliothèque de Santé Génésique de l'OMS, Genève, Organisation mondiale de la Santé.

67. *Plan de naissance*, www.sogc.org

68. *Premiers soins de réanimation du nouveau-né, guide pratique*, WHO/RHT/MSM/98.1, p. 17.

69. Ramji, S. *Endotracheal intubation at birth in vigorous term meconium stained babies*, Commentaire de la BSG, Bibliothèque de Santé Génésique de l'OMS, Genève, Organisation mondiale de la santé.

70. *Le syndrome hémorragique du nouveau-né*, www.mamanpourlavie.com, septembre 2011.

71. Puckett, R. M. et M. Offringa. *Prophylactic vitamin K for vitamin K deficiency bleeding in neonates*, Base de données des analyses documentaires systématiques Cochrane 2007, 4e édition.

72. *Plus de gouttes dans les yeux du nouveau-né ?*, www.destinationsante.com, 4 janvier 2011.

73. *La prématurité*, Préma-Québec, www.premaquebec.ca

74. Louis, S. *Le grand livre du bébé prématuré*, 2ᵉ édition, Éditions Enfants Québec et CHU Sainte-Justine.

75. Bohnert, N. *Mortalité, aperçu, 2008-2009*, Statistique Canada, www.statcan.gc.ca

76. *Partir du bon pied, guide de grossesse et d'accouchement*, 3ᵉ édition, SOGC, 2005, p. 59.

77. Roy, I. *Un plan de naissance, ça sert à quoi ?* www.coupdepouce.com, 5 octobre 2009.

COURS 3

1. Bonapace, J. *Accoucher sans stress avec la méthode Bonapace*, Éditions de l'Homme, 2009, p. 47.

2. Vadeboncoeur, H. *Une autre césarienne, non merci*, Éditions Québec-Amérique, 1989, p. 224.

3. Newton, N., D. Peeler et M. Newton. « Effect of disturbance on labor. An experiment with 100 mice with dated pregnancies », *American Journal of Obstetrics Gynecology*, 1968.

4. Newton, N. « The Effect of Psychological Environment on Childbirth : Combined Cross-Cultural and Experimental Approach », *Journal of Cross-Cultural Psychology*, Mars 1970, p. 85-90.

5. Bonapace, J. *Accoucher sans stress avec la méthode Bonapace*, Éditions de l'Homme, 2009, p. 59.

6. *Op. cit.*, p. 45.

7. *Op. cit.*, p. 46.

COURS 4

1. *Fiche mémo, contraception chez la femme en post-partum*, Haute autorité de santé, juillet 2013, www.has-sante.fr

2. *Le périnée pendant la grossesse et après l'accouchement*, www.perineo.fr

3. *Déclenchement du travail*, Directive clinique de la SOGC, nᵒ 296, septembre 2013.

4. *Déclenchement du travail*, Directive clinique de la SOGC, nᵒ 296, septembre 2013.

5. Tiré de : « Prise en charge des complications de la grossesse et de l'accouchement : guide destiné à la sage-femme et au médecin », *WHO*, OMS, p. 66.

6. *Score de Bishop*, www.doctissimo.com, mis à jour le 28 janvier 2014.

7. Tiré de : *Le travail : mécanique obstétricale – surveillance – partogramme (premier et deuxième temps de la deuxième étape du travail)*, Comité éditorial pédagogique de l'UVMaF, 1ᵉʳ mars 2011.

8. *Partir du bon pied, guide de grossesse et d'accouchement*, 3ᵉ édition, SOGC, 2005, p. 98.

9. *Ibid.*

COURS 5

1. Gravier-Jettot. *Perte des eaux, le signe d'alerte*, avril 2011 (mis à jour le 20 octobre 2011), www.doctissimo.com

2. Lavigueur, J. *Abdos fessiers, 50 exercices pour tonifier votre corps*, Éditions de l'Homme, 2009, p. 96.

3. *Les positions maternelles pour l'accouchement*, Alliance francophone pour l'accouchement respecté, document ressource CNGOF et OMS, SMAR 2005.

4. Roy, I. « Trouvez la bonne position », *Neuf mois*, mai 2006, p. 48.

5. *Ibid.*

6. *Ibid.*

7. Roy, I. *À chacune sa position*, www.coupdepouce.com, 19 octobre 2009.

8. *Ibid.*

COURS 6

1. *Mieux vivre avec notre enfant de la grossesse à deux ans, guide pratique pour les pères et les mères*, Les publications du Québec, Institut national de santé publique du Québec, www.inspq.qc.ca/mieuxvivre, 2013, p. 313.

2. Pound, C. M. et S. L. Unger. « L'Initiative Amis des bébés : protéger, promouvoir et soutenir l'allaitement », *Paediatrica Child Health*, Société canadienne de pédiatrie, Comité de nutrition et de gastroentérologie, Section de la pédiatrie hospitalière, nᵒ 17, vol. 6, 2012, p. 322-326.

3. *Does early skin-to-skin contact promote infant health ?* Night nurse nation, www.nightnursenation.com

4. Christensson, K., C. Siles, L. Moreno, A. Belaustequi, P. De La Fuente, H. Lagercrantz, P. Puyol et J. Winberg. « Temperature, metabolic adaptation and crying in healthy full-term newborns cared for skin-to-skin or in a cot », *Acta Paediatrica*, nᵒ 81, 1992, p. 488-493.

5. *Mieux vivre avec notre enfant de la grossesse à deux ans, guide pratique pour les pères et les mères*, Les publications du Québec, Institut national de santé publique du Québec, www.inspq.qc.ca/mieuxvivre, 2013, p. 368.

6. *Op. cit.*, p. 369.

7. *Op. cit.*, p. 317, 372 et 377.

8. *Op. cit.*, p. 375.

9. msssa4.msss.gouv.qc.ca/fr/document/publication.nsf/ ad32286171667c9a18525681500530bd0/2de015d 3a3186465852570cb0071cf5f ?/OpenDocument (offert en ligne seulement)

10. *Mieux vivre avec notre enfant de la grossesse à deux ans, guide pratique pour les pères et les mères,* Les publications du Québec, Institut national de santé publique du Québec, www.inspq.qc.ca/mieuxvivre, 2013, p. 317.

11. Côté, S. et l'équipe de Naître et grandir. *L'introduction aux aliments complémentaires,* www.naitreetgrandir.com, décembre 2012.

12. Noel-Weiss, J., A. K. Woodend, W. E. Peterson, William Gibb et Dianne L. Groll. « An observational study of associations among maternal fluids during parturition, neonatal output, and breastfed newborn weight loss », *International Breastfeeding Journal,* 15 août 2011.

13. *Mieux vivre avec notre enfant de la grossesse à deux ans, guide pratique pour les pères et les mères,* Les publications du Québec, Institut national de santé publique du Québec, www.inspq.qc.ca/mieuxvivre, 2013, p. 317.

14. Gingras, M. *Les bases de l'allaitement,* www.naitreetgrandir.com, mise à jour mars 2011.

15. *Bonnes pratiques de fabrication (BPF) des préparations pour nourrissons,* Santé Canada, www.hc-sc.gc.ca, 2006.

COURS 7

1. *Mieux vivre avec notre enfant de la grossesse à deux ans, guide pratique pour les pères et les mères,* Les publications du Québec, Institut national de santé publique du Québec, www.inspq.qc.ca/mieuxvivre, 2013, p. 428 et 437.

2. *Mieux vivre avec notre enfant de la grossesse à deux ans, guide pratique pour les pères et les mères,* Les publications du Québec, Institut national de santé publique du Québec, 2013, p. 436.

3. Hofer, É. et M. Olivier. *Sport et nutrition pendant et après la grossesse,* Éditions de l'Homme, 2012, p. 175.

4. Fortin, M.-C. *Dépression post-partum, les pères aussi ?,* Enfants Québec, www.enfantquebec.com, octobre 2010.

5. *Mieux vivre avec notre enfant de la grossesse à deux ans, guide pratique pour les pères et les mères,* Les publications du Québec, Institut national de santé publique du Québec, www.inspq.qc.ca/mieuxvivre, 2013, p. 517.

6. *Op. cit.,* p. 523.

7. Marlello, E. et l'équipe de Naître et grandir. *Le sommeil de bébé,* www.naitreetgrandir.com, mise à jour, octobre 2011.

8. *Ibid.*

9. *Mieux vivre avec notre enfant de la grossesse à deux ans, guide pratique pour les pères et les mères,* Les publications du Québec, Institut national de santé publique du Québec, 2013, p. 259.

10. *Op. cit.,* p. 257.

11. *Mieux vivre avec notre enfant de la grossesse à deux ans, guide pratique pour les pères et les mères,* Les publications du Québec, Institut national de santé publique du Québec, 2013, p. 235.

12. *Le tabagisme et le syndrome de mort subite du nourrisson,* Santé Canada, www.hc-sc.gc.ca

13. Milan, A. *Fécondité : aperçu, 2008,* Statistique Canada, www.statcan.gc.ca

14. Rehm, J., D. Baliunas, S. Brochu, B. Fisher, W. Gnam, J. Patra et coll. *Les coûts de l'abus de substances au Canada 2002,* Ottawa, Centre canadien de lutte contre l'alcoolisme et les toxicomanies, 2006.

15. Sawnani H., E. Olsen et N. Simakajomboon. « The Effect of In Utero Cigarette Smoke Exposure on Development of Respiratory Control : A Review », *Pediatric Allergy, Immunology, and Pulmonology,* n° 23, vol. 3, 2010, p. 161-166.

16. *The Health consequences of smoking,* Centers for Disease Control and Prevention, National Center for Chronic Disease Prevention and Health Promotion, Office on Smoking and Health, Atlanta, 2004, p. 600.

17. *Op. cit.,* p.180-194.

18. *Mieux vivre avec notre enfant de la grossesse à deux ans, guide pratique pour les pères et les mères,* Les publications du Québec, Institut national de santé publique du Québec, 2013, p. 252.

19. *Op. cit.,* p. 237.

20. *Op. cit.,* p. 586.

21. *Op. cit.,* p. 594.

ANNEXES

1. Source : *Grossesse, semaine par semaine,* www.doctissimo.com, Luc Blanchot, mise à jour le 15 juin 2011.

Remerciements

Nous tenons à remercier chaleureusement les différents professionnels qui ont collaboré à cet ouvrage:

- Dr Julie Choquet, pour sa préface et la révision médicale du livre, ainsi que pour les capsules rédigées à titre de spécialiste;

- Mélanie Ladouceur, Josée Lavigueur et Julie Bonapace, pour leurs capsules et nombreux conseils de spécialistes;

- Valéry-Annie Gaudreault, accompagnante à la naissance chez Mère et monde, et Laurence Laplante, étudiante en journalisme (stagiaire), pour leur révision du contenu;

- Maya-Geneviève Cholette, Yatming Lau et leur bébé, Saya, pour la photo de la page couverture;

- Julie Mitchell et Christine Dierick, pour leur collaboration pour certains clins d'œil de l'accompagnante;

- Karine Bergeron, Massimo Chiaradia et Élisabeth Lachance, ainsi que toutes les intervenantes de Mère et monde, pour leur soutien dans ce projet;

- Vincent Panaye de Klik L'Agence et Hugo Dubé et Jean-François Dumais de Servlinks Communication ainsi que Sébastien Bourrassa de Zone graphique, pour leur soutien marketing;

- L'équipe des Éditions de l'Homme, dont Élizabeth Paré, qui nous a accompagnées de près pendant quelques années pour permettre l'accouchement de notre livre.

Merci également à tous les clients de Mère et monde qui nous ont fait confiance au fil des 20 dernières années.

Enfin, un merci tout personnel à Gilles Roy, Martine Paquette, Estelle Larin, Michel Patenaude, Christian Brohez et Dr Roger Cadieux pour leur soutien inconditionnel dans ce projet.

Ah oui, une pensée à nos animaux de compagnie, Cléo, Mimi, Toby, Cookie et Molly, pour leur amour inconditionnel.